PASSAPORTE 2030

GUILHERME FIUZA

PASSAPORTE 2030

O SEQUESTRO SILENCIOSO DA LIBERDADE

Avis Rara é um selo da Faro Editorial.

Diretor editorial **PEDRO ALMEIDA**
Coordenação editorial **CARLA SACRATO**
Revisão **BÁRBARA PARENTE | THAÍS ENTRIEL**
Diagramação **REBECCA BARBOZA**
Imagens internas **EVERETT COLLECTION | SHUTTERSTOCK**

Dados Internacionais de Catalogação na Publicação (CIP)
Jéssica de Oliveira Molinari CRB-8/9852

Fiuza, Guilherme
Passaporte 2030 : o sequestro silencioso da liberdade / Guilherme Fiuza. -- São Paulo : Faro Editorial, 2022.
224 p.

ISBN 978-65-5957-186-4

1. Ciências sociais 2. Política e governo 3. Liberdade I. Título

22-1750 CDD 300

Índice para catálogo sistemático:
1. Ciências sociais

1ª edição brasileira: 2022
Direitos de edição em língua portuguesa, para o Brasil, adquiridos por FARO EDITORIAL

Avenida Andrômeda, 885 — Sala 310
Alphaville — Barueri — SP — Brasil
CEP: 06473-000
www.faroeditorial.com.br

SUMÁRIO

PASSAPORTE 2030

ABERTURA

Era uma vez uma civilização vitoriosa. Ela atravessou um século de guerras totais e alcançou a paz. Ou pelo menos uma estabilidade sem precedentes entre os povos, já que a paz completa não existe. Até um muro que simbolizava a cisão política tinha caído. Um novo século começava com a consagração das liberdades e o respeito às escolhas individuais. Os códigos sociais passaram a reconhecer que raças e credos não podiam ser fatores de segregação. Estava tudo pronto para o início da Era da Harmonia.

Mas a humanidade não quis. Jogou tudo isso fora. E o que levou tanto tempo para ser construído foi ao chão num instante. Destruir é sempre muito mais fácil e rápido.

Por falar em facilidade, o mundo inteiro tinha se unido graças a um salto tecnológico vertiginoso. O novo século trouxe a conexão instantânea — a amplificação das vozes mais remotas na escala social e geográfica. Uma revolução democrática.

Eis o escândalo: essa revolução democrática virou recaída autoritária. Talvez nem Freud explicasse — ele que revelou tanto da alma humana na virada de século anterior, quando a humanidade caminhava para a eclosão das guerras mundiais. O que houve com os homens?

A resposta se tornou impossível num mundo capaz de considerar essa pergunta machista (duvida?) — por mencionar os "homens" e não as mulheres e demais gêneros catalogáveis. A combinação de ignorância e prepotência sempre foi explosiva.

E foi assim que a idiotice viralizou. Fantasiada de ética. E a viralização do vírus — ou da suposta preocupação com ele — trouxe o clímax do salvacionismo cínico. As trincheiras de empatia cenográfica foram sendo cavadas a cada esquina digital contra o monstruoso inimigo imaginário — o neandertal moderno que eu posso projetar em qualquer um, no meu vizinho, no meu amigo, no meu irmão, bastando apontar o dedo duro para ele dizendo que não segue as normas de segurança difundidas pela Lady Gaga, pelo Bill Gates e pela empática ditadura chinesa.

Você está colocando vidas em risco — e cada vez que eu digo isso meus seguidores se multiplicam e empoderam a minha irrelevância.

Como isso foi acontecer? Onde estavam escondidos, naquela caminhada aparentemente firme para a Era da Harmonia, o cinismo e a covardia?

Com possibilidades sem precedentes na história de expansão do bem-estar e da liberdade, como o mundo se desviou para uma epidemia de moralismo, egoísmo e tara pelo controle — todos devidamente dissimulados e fantasiados de humanismo?

De onde saiu a legião de tiranos enrustidos com suas variadas armadilhas autoritárias pintadas de bondade e altruísmo? Como sociedades tão esclarecidas passaram a se sujeitar docilmente à dominação dos medíocres e dos fracos?

Como foi possível a ascensão do totalitarismo frouxo?

Este livro não se atreve a tentar responder a essa pergunta. Mas passeia pelos arredores dela. Livremente. Sem passaporte e sem coleira.

CAPÍTULO 1

Depois do fim

A HUMANIDADE PRECISA DE LÍDERES. E SE ENCANTA especialmente com aqueles que conseguem ser ousados tanto na proposta quanto na ação. Certa vez, um líder obstinado decidiu conduzir sua nação sem rodeios para o caminho da virtude — e a partir daí buscar a purificação da Humanidade.

Esse líder achava que você deveria ser livre, desde que estivesse engajado no projeto maior de moralização da coletividade. Do contrário você era uma ameaça ao bem-estar coletivo e não deveria ter os mesmos direitos que os outros.

Era um discurso ético. Um chamamento à responsabilidade individual em benefício do bem comum. Assim, esse líder encantou populações inteiras — fascinadas com a adesão a um projeto civilizatório avançado. Estava muito claro que o sucesso desse belo projeto social dependia da adesão de cada indivíduo. E quem não aderisse, obviamente, estaria prejudicando a coletividade. Seria uma espécie de traidor. Um indesejável polo de negação à construção da pureza e da felicidade.

O líder propagava um conjunto de valores virtuosos dos quais ninguém haveria de discordar. E cada vez menos alguém ousava discordar. Não porque o líder ameaçasse. Os semelhantes se encarregavam de cercar o discordante. O projeto coletivo era tão obviamente bom que aqueles que não colaborassem só podiam ser obtusos. E uma revolução virtuosa não pode transigir com obtusos. Melhor calá-los, antes que a influência nefasta se espalhe.

Eis aí uma ideia simples e eficaz. Impedir que ruídos se espalhem. Zelar para que mensagens impróprias não se disseminem, contaminando o senso comum virtuoso. Impedir que fiquem falando por aí o que é errado, prejudicando o que é certo. Este é um ponto muito valorizado pelo ser humano esclarecido, culto, responsável: afirmar o que é certo e repudiar o que é errado.

Quanto mais o indivíduo se considera esclarecido, mais ele confia nas suas próprias certezas. Ele tem certeza de que uma união em torno dos valores certos é a chave da prosperidade — e faz a sua parte com fervor, agindo para reprovar e banir os valores errados. Ele se orgulha de ser consciente. Foi com uma formidável soma de indivíduos assim — resolutos sobre a sua responsabilidade social e intransigentes com o que não é certo — que o líder abnegado dominou tudo.

Ou quase. Quando o caminho parecia pavimentado para a consagração da nova ordem virtuosa, o caldo entornou. Indivíduos e povos que talvez não tivessem tantas certezas assim reagiram ao grande projeto purificador. Não que eles não gostassem de pureza. Apenas perceberam que tinha passado a valer tudo pela suposta purificação. As certezas dos purificadores eram tão cristalinas que era preciso asfixiar os que não aderissem a elas.

Os mais abnegados preferiam trucidar. Trucidar no bom sentido, claro.

Sobreveio um grande trauma. Após a derrota do líder purificador, a humanidade se deu conta de que o projeto social "virtuoso" tinha ido longe demais. E que a construção de um sistema de controle coletivo para guarnecer uma suposta ética tinha nome: totalitarismo. Enfim, uma tragédia de desumanidade que jamais poderia se repetir no futuro.

Filmes, livros, leis, códigos e salvaguardas proliferaram para que aquela utopia brutal nunca mais seduzisse o ser humano. Menos de um século depois, a História revelaria que o "nunca mais" tinha data de validade.

No dia 11 de setembro de 2001, o mundo achou que estava acabando. Ou pelo menos que determinado tipo de civilização estava chegando ao fim . Aqueles aviões atirados contra prédios imensos em Nova York talvez não existissem, até então, nos piores pesadelos. E as notícias em tempo real indicavam que havia outros aviões sequestrados e prontos para ser usados também como dardos gigantes — a exemplo de outro que já explodira contra o Pentágono.

Os Estados Unidos da América estavam vulneráveis como uma casa de bonecas no meio de um bombardeio. A nação mais poderosa do mundo capitulando ao vivo daquela forma patética e chocante parecia mesmo a senha para o fim do mundo. Mas não era. O mundo só acabou vinte anos depois.

A imagem terrível de aviões cheios de passageiros usados como dardos diabólicos parecia que jamais teria paralelo — mas foi superada. De forma menos cinematográfica. Num arrastão obscurantista, passaram por cima do Código de Nuremberg, nada menos. O Código de Nuremberg foi o conjunto de regras estabelecidas para que "nunca mais" se repetissem as imposições desumanas do tal líder purificador que só pôde ser parado com uma guerra mundial.

Em nome de suposta imunização contra uma moléstia pandêmica, os novos higienizadores impuseram às populações a inoculação de substâncias ainda em desenvolvimento, com seus ciclos de estudo sobre eficácia e segurança inconclusos. Um experimento obrigatório — exatamente o que o Código de Nuremberg proibiu para sempre. As crianças, grupo menos vulnerável à moléstia — cujo histórico de letalidade deixava a maioria da população fora dos riscos de morte —, entraram no esquema. A terminologia oficial usada foi exatamente essa: "esquema" vacinal.

Só com o "esquema vacinal completo" os cidadãos puderam continuar sendo cidadãos, de acordo com as novas obrigatoriedades formais ou tácitas. Entre os direitos garantidos pela cidadania vacinal estava o de transmitir a doença, uma vez que os supostos imunizantes, conforme universalmente constatado, não impediam a infecção, nem a transmissão do vírus. Mesmo assim a exigência do passaporte sanitário da Covid-19 se impôs — sem que os riscos de efeitos adversos (eventualmente letais) das vacinas estivessem devidamente dimensionados.

Ou seja: materializou-se a sujeição do corpo humano a uma experimentação sem embasamento científico. Percebe as torres gêmeas da civilização em chamas?

Em meio ao avanço do "esquema", uma menina de doze anos com sequelas neurológicas após se vacinar contra a

Covid-19 foi levada numa cadeira de rodas ao Senado dos Estados Unidos por sua mãe, que mesmo devastada dominou o choro para expor o drama. No momento em que a menina Maddie de Garay se vacinou, o epidemiologista John Ioannidis, da Universidade de Stanford, divulgava um estudo situando a chance média de morte por Covid-19 na faixa de 0 a 19 anos em 0,0027%.

Ninguém na face da Terra poderia assegurar que Maddie precisava ter tomado aquela vacina. Mas o mundo não parou diante de uma menina inocente presa a uma cadeira de rodas para se perguntar por que fez isso.

Ou seja: o mundo acabou. Sobreviveu apenas duas décadas ao Onze de Setembro. Continuou girando por curiosidade, para ver o que acontecia depois do fim. E aconteceram coisas incríveis com a mente humana. Dá uma olhada:

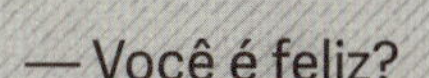

— Você é feliz?
— Ainda não.
— Mas não perdeu a esperança, pelo visto.
— De jeito nenhum. Eu chego lá.
— Lá, aonde?
— Na felicidade.
— É isso aí. Tem que manter o pensamento positivo.
— Não é pensamento positivo. É estratégia.
— Ah, é? Qual?
— Agenda 2030.
— Como assim?
— É um projeto muito bacana. Estou nele.
— Mas 2030 não tá um pouco longe?

— Tá, mas vale a pena.

— E como é esse projeto?

— Não sei direito. Só sei que é muito bom.

— Sei... E o que ele tem de bom?

— Bom, não. Muito bom.

— Certo. O que ele tem de muito bom?

— A ideia geral. Me identifiquei totalmente.

— Qual seria essa ideia?

— É uma ideia muito simples e muito inteligente.

— Juntar simplicidade com inteligência costuma dar boa coisa mesmo.

— Muito boa. Estou animado.

— E qual seria esse plano 2030?

— Seria, não. Será.

— Vejo que você está confiante.

— Totalmente.

— Estou precisando confiar em alguma coisa também.

— Então vem comigo.

— Pra onde?

— Pra Agenda 2030.

— O que eu tenho que fazer pra embarcar nessa?

— Nada. Só embarcar. Eles cuidam do resto.

— Legal. Parece prático.

— Muito prático. Simplicidade e inteligência, como te falei.

— Bem lembrado. E qual seria a ideia geral mesmo?

— Seria, não. É.

— Opa, desculpe. Ainda me falta confiança.

— Normal. Você chega lá.

— Tomara. Então qual é mesmo a ideia geral?

— Sinto que você está um pouco ansioso.

— Talvez.

— Também fiquei assim no começo. É a vontade de que 2030 chegue logo.

— Deve ser. E por que mesmo a gente quer que 2030 chegue logo?

— A sua memória não tá legal mesmo, hein? Não retém nada do que eu falo.

— Desculpe.

— Tudo bem. Vou repetir: em 2030 vamos ser felizes.

— Ah, é! Poxa, como pude me esquecer de uma coisa tão boa?

— Acontece. Pode ser medo de ser feliz.

— Já ouvi falar.

— Muito comum. Mas você vai superar.

— Obrigado.

— De nada. Assim que você embarcar na Agenda 2030, já vai se sentir outra pessoa.

— Será?

— Experimenta.

— Tá bom. Embarquei.

— Parabéns! E aí, já tá sentindo a mudança?

— Não sei, acho que sim...

— Não se reprime. Deixa a felicidade começar a se espalhar pelas suas células. Sem medo.

— Ok. Estou tentando.

— Ótimo.

— Estranho é que mesmo aqui dentro da Agenda 2030 ainda não estou conseguindo ver a ideia geral do projeto.

— Não se preocupa. Você ainda está com seu olhar para o mundo defasado. Daqui a pouco sua visão se abre.

— É bom sentir a sua confiança.

— Aprendi com a Agenda 2030.

— Incrível. Será que, enquanto a minha visão não se abre, você pode me dar uma ideia sobre a ideia da coisa.

— A ideia da ideia... Viu como você já está pensando com mais clareza?

— Você acha?

— Acho, não. Tá na cara!

— Que bom. Então, a ideia da ideia seria...

— Seria, não. É! Repete comigo: a ideia *é*!

— A ideia é.

— Perfeito. Sua confiança já está visivelmente maior.

— Opa, legal. Então vou aproveitar que estou confiante e perguntar sem meias palavras, ok?

— Pode perguntar o que quiser. Não existe segredo na Agenda 2030.

— Obrigado. Lá vai: qual é a ideia geral do projeto?

— Percebo que a sua confiança aumentou, mas a sua ansiedade ainda não diminuiu.

— Isso é normal?

— Absolutamente normal. Afinal, todos queremos que 2030 chegue logo.

— Fico mais tranquilo. E, enquanto ele não chega, você poderia me dar uma ideia da ideia geral da coisa?

— Claro. Não vou te torturar com isso.

— Te agradeço. Então, qual é?

— É uma ideia muito inteligente e muito simples.

— Essa parte já entendi.

— Ótimo. Você está pegando rápido.

— Obrigado. E qual é mesmo a ideia?

— A ideia é a seguinte: "Em 2030 você não vai ter nada e vai ser feliz."

— ...

— Ficou até sem fala, né? Também fiquei no começo. É porque parece bom demais pra ser verdade.

— Quem criou esse plano?

— Uns bilionários reunidos na Suíça.

— Eles também não vão ter nada em 2030?

— Essa parte não foi detalhada no plano.

— E por que você confia tanto nesse plano?

— Porque já vi que ele funciona.

— Como?

— Com os trancamentos do *lockdown*, outra ideia simples e genial da mesma turma que fez a Agenda 2030, eu fui à falência.

— Você acha isso bom?

— Claro! O plano é "você não vai ter nada e vai ser feliz". A primeira metade dele já se concretizou pra mim.

— Isso é verdade. Só falta a felicidade, né?

— Calma. Uma coisa de cada vez.

A chamada Agenda 2030 do Fórum Econômico Mundial é uma representação vigorosa de dois valores marcantes do século 21: empáfia e futilidade. Conseguir juntar empáfia e futilidade já é, por si, uma façanha — e esta é a alquimia da modernidade 2030: potencializar a falta de potência, encher de presunção a mediocridade.

O lema da tal Agenda 2030 é: "Você não vai ter nada e vai ser feliz." É um apetitoso convite de mentira — como tudo na cosmética politicamente correta — a um mundo de união, conectado pela inteligência e pela ética. Seria uma espécie de neorromantismo hippie, atualizado pela tecnologia, e que poderia soar até inspirador se não fosse falso. Mas a falsidade é um detalhe, como você felizmente já notou.

O mundo do século 21 passou a assistir a um surto megalômano de nerds bilionários conectados a ditadores dissimulados e perfumados por animadores de auditório e subcelebridades em geral. Uma festa.

Capturaram com grande sensibilidade os anseios da burguesia narcísica e medíocre, que vende seu corpinho (e sua alminha) por qualquer maquiagem revolucionária. Você devia ter desconfiado na virada do século, quando começaram a vender desvairadamente a China como vanguarda do capitalismo. Um regime ditatorial, fechado, com a liberdade do cidadão na ponta da espada estatal... Como você acreditou nisso como a locomotiva da modernidade?

Os androides do Fórum Econômico Mundial trataram a Covid-19 como oportunidade. São desumanos em pele de humanistas — fantasia muito em voga no Réveillon 2030 (tão grandioso que começou dez anos antes). Nem é preciso entrar em grandes conjecturas geopolíticas para entender o pulo do gato. "Globalismo", "governo mundial" e outros conceitos barrocos que os amantes de palestras amam repetir dizem muito pouco. Ou melhor: quase enobrecem propósitos rasteiros e nada sofisticados.

Você acha que o ditador da China trabalharia para criar um "governo global"? Claro que não. Ele trabalha para expandir seu poder obscuro, do jeito que der. Se conseguir enfiar o mundo todo dentro da sua ditadura, ótimo.

Aí a Covid-19 realmente se tornou uma oportunidade — como dizem os burgueses fúteis do Fórum Econômico Mundial.

E que "oportunidade" foi essa? Basicamente, a de sujeitar os indivíduos e as sociedades a um punhado de regras autoritárias fantasiadas de segurança sanitária, sem lastro científico algum — e se empapuçar de poder e grana. Claro, com a propaganda hedionda de boa parte da grande imprensa sobre a suposta efetividade dessas regras.

Você não estranhou a união de grandes veículos de comunicação, historicamente concorrentes, numa coisa que eles próprios passaram a chamar de "consórcio"? Consórcio de quê? De manchetes iguais? O que houve com a concorrência? Foi vítima de uma epidemia de notícias siamesas?

Essa imprensa transformista alegou que o "consórcio" era uma união para garantir informação confiável contra a propagação de "*fake news*". Ou seja: um conluio de boa aparência.

Esse conluio entre "concorrentes" saiu por aí disparando suas manchetes iguais para construir verdades de proveta. Transformou, por exemplo, a ideia de "distanciamento social" — uma mistificação grosseira que nunca protegeu os vulneráveis e fingiu não ver as aglomerações nos transportes públicos — numa promessa de salvação. "*Lockdown*" nunca passou de um slogan estúpido, sem um único estudo sério atestando sua eficácia — e mesmo assim as milícias checadoras do consórcio agiram furiosamente para perseguir quem não tratasse esse slogan estúpido como ciência.

Entendeu o esquema? Ciência se faz com propaganda. Ou no grito mesmo. Quem não obedecer, apanha. Não só do Estado. A patrulha violenta vem também do semelhante, do próprio cidadão. A propensão humana para o controle da vida alheia virou praticamente um videogame nesses tempos neurastênicos.

Todos os sócios da empatia de mentirinha — das mídias aos governos, das academias às corporações — passaram a visar uma coisa só: a construção de um clube de elite fundado em falsas éticas. Não é que esse clube seja uma unidade, uma entidade definida, global, ou coisa assim. É apenas uma forma malandra de poder, totalmente legalizada pelos inocentes úteis.

Não é um golpe da ONU, da OMS e afins. Essas entidades internacionais caindo aos pedaços se tornaram a massa de manobra burocrática para ajudar a legalizar o clube. Os conceitos de democracia e liberdade passaram a ser a fachada para os pregadores de uma cartilha idiota sujeitarem qualquer lei às suas vontades particulares (fantasiadas de ética e empatia). O clube é um entroncamento de poder, cinismo e grana — fantasiado de bondade. Se colar, colou.

CAPÍTULO 2

Mexa-se

Se você não vai ter nada e vai ser feliz, conforme a promessa generosa da Agenda 2030, quem é que vai cuidar das coisas que não serão suas e garantirão a sua felicidade? Fique tranquilo, alguém vai cuidar disso. Você só precisa estar em dia com o seu cartão de pertencimento social, que atesta a sua cidadania e te distingue dos subcidadãos incivilizados e sujos.

— Bom dia.
— Olá.
— Seja bem-vindo.
— Obrigado.
— Identificação, por favor.
— Tá aqui.
— Deixa eu ver.
— Pois não.

— Hum... Não vou poder liberar o seu acesso.

— Por quê? Esse é o meu cartão de vacinação. Sou eu mesmo aí. Olha aqui minha identidade, meu CPF...

— Imagina. Claro que é você. Em nenhum momento desconfiei, longe de mim...

— Então qual é o problema?

— Está incompleto.

— Incompleto, por quê? Falta eu fazer alguma coisa?

— Falta.

— Viva o SUS!

— Não é isso. Falta uma etapa de imunização.

— De jeito nenhum. Deve haver um engano. Está aqui, ó: duas doses mais o reforço.

— Perfeitamente. É que já estamos na segunda dose do reforço.

— Hein? Quarta dose?

— Exatamente.

— Poxa, não sabia. Desculpe, devo ter me distraído.

— Sem problemas.

— Vou me imunizar e volto amanhã, ok?

— Positivo.

— Bom dia, voltei. Aqui está o meu cartão com a segunda dose de reforço, tudo certinho.

— Deixa eu ver.

— À vontade.

— Hum... Está incompleto.

— Como assim?! Olha aqui a comprovação! Está insinuando que eu forjei a quarta dose?

— Jamais faria isso. Nem seria possível. O sistema é totalmente confiável.

— Então qual é o problema?

— Influenza.

— Hein? Está dizendo que eu estou doente? Estou ótimo, pode medir a minha temperatura, se quiser. Pode me auscultar, meu pulmão tá novo em folha. Me viu espirrando por acaso?

— Desculpe, jamais insinuaria que você está doente. Aliás, isso nem importa para nós. O que importa é a vacina.

— Como assim?

— Estamos exigindo a vacina de influenza também.

— Ah, é?

— É. Resolvemos aproveitar a onda de empatia para higienizar tudo.

— Faz sentido. Eu sou pró-vacina.

— Que bom.

— Bem, vou me imunizar e volto o quanto antes.

— Positivo.

— Olá, voltei. Desculpe a demora. As filas estavam muito grandes. O importante é que consegui. Tá aqui o meu cartão. Completinho agora.

— Ok. Deixa eu ver.

— Pois não.

— Hum... Não vai dar.

— O que foi dessa vez?

— A vacina que você tomou não protege contra a variante Darwin, que acabou de chegar.

— O quê?! Me deram uma vacina velha?

— Não é bem isso. Os vírus é que estão se atualizando com muita rapidez. O que é novo fica velho rápido. Que nem *software* e iPhone.

— Ah, entendi. É verdade, está tudo se renovando com muita rapidez.

— Felizmente a ciência também está muito veloz. Tenho certeza de que você logo vai conseguir a vacina Darwin.

— Mas será que eu posso tomar assim, uma logo depois da outra?

— Problema nenhum. Quanto mais vacina, melhor.

— Que bom. Então vou lá correr atrás da minha imunização.

— Boa sorte.

— Obrigado pela sua paciência.

— Imagina.

— Não vai desistir de mim, hein? Sou lento, mas sou limpinho.

— Positivo. Higiene é tudo.

— Então até breve.

— Até.

— Oi, voltei. Já tomei a vacina Darwin! Levou uns dias, mas encontrei. Foi emocionante, quer ver a foto que o enfermeiro fez?

— Não precisa. Basta o cartão.

— Ok. Tá aqui.

— Hum... Está incompleto.

— O quê?! Que brincadeira é essa, companheiro? Tá achando que tenho cara de palhaço?

— Estou, mas não é esse o ponto. No seu cartão está faltando uma etapa de imunização.

— Impossível! Cumpri todas as exigências que você me apresentou! Tá tudo aqui.

— Infelizmente, não está. Depois da sua última vinda, houve um avanço da Ômicron e já estamos na terceira dose de reforço.

— Jura? Quinta dose?

— Como você queira chamar. Usamos "reforço" para reforçar a ideia de imunização reforçada.

— Faz sentido. Comunicação é tudo.

— Ciência.

— Isso. Foi o que eu quis dizer.

— Ok.

— Bem, então vou lá correr atrás da minha imunização reforçada.

— Positivo.

— Oi, voltei de novo. Você não aguenta mais ver a minha cara, né?

— Quem vê cara, não vê veia. Aqui estamos estritamente preocupados com o seu cartão de imunização.

— Falar em imunização, rapaz... Desculpe a intimidade. Segura essa: testei positivo pra Covid-19. Acredita?

— Essa não é minha área.

— Claro. Foi só um comentário de amigo. Tá aqui o meu cartão. Quinta dose, totalmente imunizado. Pode checar.

— Ok. Agora está completo. Acesso liberado.

— Uau! Obrigado! Esse cartão é sensacional mesmo. Agora me sinto um cidadão de verdade. Bom trabalho aí.

— Obrigado. Melhoras.

— Atchim!

Viu como é simples? O seu acesso à vida em sociedade estará sempre na palma da sua mão. Um toque na tela do seu iPhone e as portas se abrem para você — desde que o seu cartão de cidadão higienizado esteja em dia, claro. Mas essa atualização é simples. Basta uma picada e pronto, você está dentro. O que está dentro de você não interessa, eles tomam conta de tudo. Não era isso que você queria? Não ter nada e ser feliz?

Talvez na vigésima dose de reforço surja uma sensação de que o seu iPhone virou uma coleira. E de que você perdeu a sua liberdade. Besteira. Tudo na vida tem um preço, e você não vai querer garantia de higiene e segurança achando que vai ficar solto que nem um passarinho, né? E quem disse que passarinho é feliz?

A verdade é que ficou impossível ser feliz sem um iPhone na mão. Pobre passarinho.

Quem haverá de negar que a revolução digital é pródiga? O avanço civilizatório decorrente dela é inquestionável. A conexão planetária imediata se traduz em ganhos econômicos, culturais e humanitários. A revolução digital melhora a vida. Ou deveria melhorar.

Claro que haveria efeitos colaterais. Nenhuma transformação desse tamanho se dá sem que algo também seja perdido. Na revolução industrial, por exemplo, o formidável processo de automação trouxe o aumento do sedentarismo. Nos anos 1970, surgiu na TV a campanha do "Mexa-se" — com *jingles* tentando sensibilizar a população para a importância de se exercitar. Isso décadas antes da disseminação dos microcomputadores de uso pessoal, que jogariam boa parte da movimentação humana para dentro de uma tela — ainda na pré-história do iPhone.

De volta ao futuro, se impõe a pergunta: com uma tela na palma da mão, que contém praticamente o mundo inteiro, o que aconteceu com a movimentação humana? Continuou decaindo, claro. Mas por outro lado os antídotos do velho "Mexa-se" evoluíram — e também foi parar na palma da mão um vasto cardápio de suor induzido. Academia *à la carte.*

Então para onde foi a atrofia?

É uma pergunta que dá até medo de tentar responder. Sendo assim vamos só especular, de forma inconsequente, para ninguém confundir isso aqui com manifesto. Nem com veredito. Até porque a epidemia de vereditos sumários na palma da mão pode ter a ver com a tal atrofia. Será? Quem não pensa, sentencia. Quem não pode, ordena. Quem não sabe, ensina.

Calma, são só provocações. Releia acima o nosso pacto de inconsequência e relaxe.

Mas... Será que não temos uma pista aí? Com quantos paus se faz uma canoa, se a canoa pode ser virtual? O que acontece com o ser humano quando ele passa a não precisar do trabalho braçal da mente? E se aquele vasto cardápio de suor induzido passa a oferecer também convicções *à la carte,* prontas para o consumo?

O que acontece com o senso comum quando o indivíduo adere, maravilhado, à automação das convicções? E se a formação da consciência estiver sendo substituída pela mimetização? E se o pensamento tiver perdido espaço para a repetição?

Calma. Se as provocações acima não te incomodaram, talvez nada disso tenha acontecido. Ou talvez você esteja suficientemente mecanizado. Ou talvez as premissas acima estejam erradas. Ou talvez o cardápio de convicções instantâneas seja mesmo um sucesso, e você só consiga pensar se esse papo é de direita ou de esquerda, se merece *like* ou *deslike,* se compartilha ou denuncia, se tem mais gente aplaudindo ou dizendo que é *fake news,* enfim, o processo normal a partir do qual você emergirá com a sua convicção triunfal e indestrutível.

Ou talvez a sua capacidade de pensar esteja intacta e as provocações acima é que estejam fadadas a morrer na praia.

Praia lembra *lockdown*. Que experiência impressionante. Um chamado ético para a imobilização das sociedades em nome do bem comum. A mobilização pela imobilização. Uma espécie de "Mexa-se" ao contrário. Recolha-se. Isso protegerá a saúde da coletividade.

A exata engenharia sanitária dessa medida extrema — e sua eficácia aferível — nunca apareceu. E o senso comum nunca a exigiu. Se existe mesmo um cardápio de convicções, ele deve ter sido essencial para a construção dessa harmonia em torno do nada. Cada tempo com seu consenso.

A convicção emana do iPhone. O iPhone emana do legítimo anseio por praticidade, conforto e segurança. A paz digital pode ser um estágio evolutivo — no qual a universalização do poder individual depende da uniformização. Repetir é o novo pensar? Ser ou não ser?

Do iPhone, emana o passaporte. Da injeção, emana a cidadania. Como no *lockdown*, o senso comum não exigiu o passaporte da eficácia. A nova ética dispensa a lógica. O indivíduo se fascinou com seu poder universal. Dispor da vida alheia com uma simples checagem de iPhone é bom demais. Bloqueio sanitário é migalha se você tem o direito à vida na palma da sua mão.

Ou talvez não seja nada disso. Fique calmo. Se as especulações acima são inócuas, você não tem nada a perder. Se não são, mexa-se.

Ainda não entendeu o que é a Agenda 2030? Sem problemas. O pessoal bonzinho e empático do Fórum Econômico Mundial não vai ter tempo de te explicar, porque eles estão muito ocupados levando sua bondade às últimas consequências. Mas nós estamos aqui para facilitar o seu entendimento — e para protegê-lo dos riscos de uma overdose de felicidade.

Segue, então, um resumo das modernas diretrizes que vão levá-lo ao Nirvana sem fazer esforço:

Se você tiver vontade de ir a um restaurante com quem você gosta, fique em casa sozinho, de máscara, que o governador da Califórnia, um amor de pessoa, vai ao restaurante por você, come bem por você, se diverte por você com os amigos (dele). Você não vai ter nada e a felicidade estará estampada no rosto (dele);

Nas datas comemorativas, fique na sua. Deixe que o Dória se arrisca por você sob as perigosas palmeiras de Miami;

Mantenha em dia seu cartão de vacinação contra a Covid-19, Covid-20, Covid-21 e fique de olho nas atualizações programáticas do Bill Gates para não perder o seu lugar no futuro. Com seu cartão em dia você poderá ir à padaria todo mês — desde que esteja com seu formulário anual preenchido, informando às autoridades os itens que pretende adquirir. É para o seu bem;

Benefício crucial para a conquista da felicidade: você nunca mais vai gastar dinheiro com besteira. Até porque você não vai ter dinheiro. Como uma espécie de auxílio emergencial permanente, você terá o Vale Alimentação, o Vale Moradia e o Vale Diversão. Este último você conquistará se provar dois anos ininterruptos de bom comportamento. A decisão sobre o que será considerado bom comportamento caberá a um conselho de notáveis formado a partir de um híbrido de STF com Caldeirão do Rulque;

Caso conquiste o direito ao Vale Diversão, você terá acesso irrestrito aos seguintes *games*: Gritando com Greta, Gaguejando com Gaga e Praguejando com Fonda. Não fique pensando que são poucas opções de diversão. Em cada um desses *games* você poderá fingir de diversas formas que está salvando o mundo e as minorias. É exaustivo, pode confiar;

Vale Transporte não será preciso porque você não irá a lugar nenhum;

Vale Medicamentos também não será necessário porque tudo que você precisa estará na vacina. A cada seis meses você precisará de nova dose para corrigir os problemas que não tinha dado tempo de avaliar nos seis meses anteriores, porque você há de convir que em seis meses não dá tempo de fazer nada sério — pelo menos em se tratando de imunização e estudo de efeitos colaterais. Mas não reclama porque é de graça e você não tem nada, mas é feliz;

Se ainda assim você for uma dessas criaturas insaciáveis e quiser reclamar de barriga cheia, sem problemas, o seu direito ao contraditório e à livre expressão estará plenamente garantido. Bastará você acessar sua conta na Rede Felicidade — a plataforma unificada da paz e da empatia. Sua conta estará ativa se você não tiver cometido nenhuma infração nos 24 meses anteriores;

Será considerada infração na rede social da felicidade unificada qualquer discurso de ódio do tipo relatar reação adversa da vacina ou reclamar da vida de merda que a conjunção dos nerds bilionários está te proporcionando na maior boa vontade.

VOCÊ ERA FELIZ E NÃO SABIA? AGORA É TARDE, OTÁRIO.

Um rebanho humano é feito de autômatos. Eles têm a faculdade do pensamento, mas são capazes de desativá-la para seguir sem desvios os passos da manada. Rebanho ou manada, você escolhe (nesse direito ninguém toca).

A característica mais impressionante de um rebanho humano não é a descrita acima. A adesão individual férrea e olimpicamente burra às passadas dos que estão em volta não é nada comparada a outro fator decisivo de aglomeração mental: a vigilância implacável do passo do outro.

Podemos até dizer que uma das principais motivações para a desativação do pensamento e adesão mecânica ao bando é a conquista do poder de patrulhar o próximo. Você nem gosta tanto de ser um autômato na manada. O que você curte mesmo no fato de ser carimbado é poder olhar em volta e sair caçando quem não está marcado, ou não está no mesmo passo. Dedurar é a sua glória.

E foi assim que populações aderiram ao experimento mais sórdido da história da humanidade em tempos de paz. Grandes capitais, onde as populações teoricamente são mais esclarecidas, serviram de *outdoor* para a farra dos tiranetes. Uma cidade mundialmente famosa e supostamente rebelde como o Rio de Janeiro, por exemplo, virou dócil refém da ciência de fundo de quintal do prefeito local.

Eduardo Paes obrigou os cidadãos a se comprovarem vacinados contra a Covid-19 para entrar em espaços públicos como restaurantes, clubes, academias, museus, cinemas, estádios e outros. Nos transportes públicos não havia a obrigatoriedade. Seu comitê científico seguiu o mesmo critério do toque de recolher noturno (com circulação liberada de dia). Só a ciência de fundo de quintal é capaz de saber por onde anda o vírus.

Um dia, esse prefeitinho acordou se sentindo um gigante e resolveu transformar manchetes em lei. A variante Ômicron estava chegando à cidade e, mesmo tendo todos os casos iniciais ocorrido em vacinados, ele decidiu aproveitar para expandir o seu passaporte da vergonha. Decretou que o cartãozinho vacinal passaria imediatamente a ser exigido para entrar em Uber. Os rebeldes domesticados do Rio de Janeiro deram um gemido de inconformismo e o gemido atingiu o gigante mirim.

Em duas horas, o estadista Eduardo Paes suspendeu a exigência do "passaporte" para Uber. Quem é que vai discutir uma ciência tão científica como essa?

A brincadeira dos tiranetes era convidar todas as cobaias a esquecer que se tratavam de vacinas experimentais. E elas esqueceram de bom grado. Bom gado. É claro que todo contrabando ético de primeiro mundo já surge devidamente "legalizado" — ou esquentado pelas autoridades competentes e complacentes. Por que não aprovar para uso emergencial vacinas sem estudos suficientes para os grupos mais vulneráveis a essa emergência?

Problema nenhum, se o rebanho está devidamente amaciado pela propaganda das *fake news* de grife — que os autômatos continuaram chamando respeitosamente de imprensa.

Depois foi só descolar um registro definitivo para essas substâncias, que continuavam sendo experimentais, porque ainda não tinham todas as suas fases de desenvolvimento concluídas. Mas quem estava ligando para esses detalhes? Se colar, colou. E tudo cola, porque rebanho amaciado é rebanho compreensivo. Tão compreensivo que aceitou como ética de proteção coletiva uma vacinação que não impedia a infecção, nem mesmo a transmissão do vírus.

E se a vacina não impede o contágio, a obrigatoriedade dela para entrar nos ambientes supracitados protegeria quem de quê?

Protegeria o rebanho de virar gente. Para virar gente, ele teria que pensar. E se ele pensasse, descobriria em alguns segundos que aquelas vacinas haviam sido feitas em poucos meses — algo sem precedente na história das boas vacinas, todas desenvolvidas ao longo de anos. Aí o rebanho descobriria que corria uma série de riscos não inteiramente dimensionados e constataria que, para a maioria da população mundial, os riscos de morte pela doença não eram suficientes para justificar uma loteria no perigoso universo das tromboses, enfermidades cardiovasculares, neuropatias, doenças autoimunes e outros males detectados em pós-vacinados.

Qual era a chance de ocorrer um desses efeitos adversos após a aplicação da vacina? Qual era o risco de morte após a vacina? Ninguém sabia. Os registros espontâneos de problemas vacinais são historicamente uma fração do universo total — e as vacinas de Covid-19 foram sendo desenvolvidas na pele da população sem uma investigação transparente dos efeitos adversos, cujos registros feitos pelas vítimas ou suas famílias frequentemente ficavam sem resposta da autoridade sanitária.

O rebanho aceitou uma vacinação em massa experimental, para ver no que dava. É preciso reconhecer que a decisão de não pensar remove montanhas de dúvidas.

CAPÍTULO 3

Checamos: você não existe

A possibilidade de uma hipnose coletiva capaz de formar um senso comum desvairado só existia em filme de ficção científica. Mas a vida imita a arte e lá se foi a humanidade viver essa experiência surrealista. Nada disso seria possível se a imprensa não tivesse aderido a um formidável transformismo intelectual.

Grandes veículos de comunicação se uniram na tal ação autointitulada "consórcio de mídia", declarando que assim guarneceriam a verdade contra as *fake news*. Na epidemia de manchetes iguais em veículos historicamente concorrentes, foram propagadas verdades arrepiantes como a ciência sobrenatural do *lockdown*, a lisura da eleição imunda nos Estados Unidos ou o direito criativo do STF.

Antigamente, imprensa era aquilo que te contava o que você não sabia. Antes de pegar o jornal na porta de casa de manhã podia ter caído um ministro ou estourado uma guerra e você só ficaria sabendo ali, com cara de sono e os olhos ainda embaçados, ao dar de cara com a manchete da primeira página. Ao longo do dia, sem ligar a TV, você praticamente só sabia o que se passava na sua casa e no seu trabalho — e para estar atualizado com o país e o mundo era preciso esperar a noite. Isso mudou. E não estamos falando da internet.

Chegamos ao ano de 2021 podendo acontecer de um país inteiro sair às ruas numa manifestação gigantesca e não sair nada na imprensa. Só um veículo ou outro registrando aquilo — ante o silêncio total dos que compunham o núcleo da "grande mídia" —, levando o cidadão a achar até que as multidões que ele mesmo viu na rua foram miragem.

O sujeito se belisca e corre para o consultório médico perguntando se está vendo coisas (correndo o risco de o médico dizer que também não viu nada, dependendo de quem seja). Corre então para o psicanalista, depois para o psiquiatra — que também estavam com a televisão ligada e não viram nada.

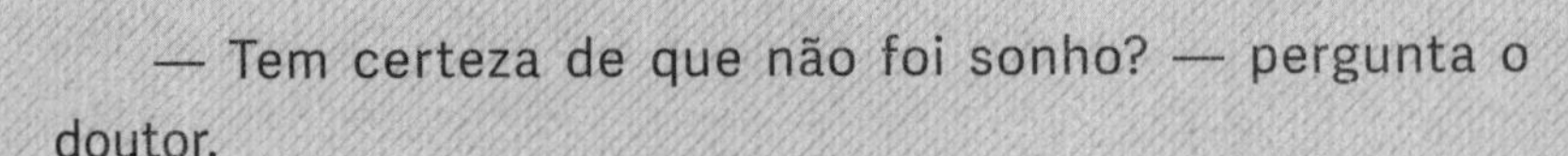

— Tem certeza de que não foi sonho? — pergunta o doutor.

— Absoluta! Eu fui comprar pão e vi uma multidão na rua.

— Fazendo o quê?

— Gritando por liberdade.

— Liberdade? Estranho. Como elas estavam vestidas?

— De verde e amarelo.

— Verde e amarelo? No Brasil? Estranho...

— Será que eu estou tendo alucinações, doutor?

— É provável. Que dia você teve essa visão?

— Foram alguns dias. 10 de maio, 7 de setembro...

— Hum... Esquisito mesmo. Espera aí, vou fazer um teste.

O doutor volta com as edições impressas dos mais tradicionais jornais do país dos dias seguintes aos dos problemas relatados.

— Está vendo aqui? Nada. Nenhuma manchete. Possivelmente você teve mesmo um surto delirante.

— É grave, doutor?

— Não necessariamente. Tenho recebido outros pacientes com o mesmo problema. Pode ser uma síndrome psicológica contemporânea.

— Qual o tratamento pra isso?

— O mais importante é a segregação.

— Como assim?

— Evitar contato com outras pessoas que tenham essa mesma síndrome. Ou seja: não falar com quem anda vendo gente espalhada nas ruas de verde e amarelo. Isso é contagioso.

— Em quanto tempo eu vou ficar bom, doutor?

— Depende de você. Leva esses jornais aqui e lê tudo. Não deixa uma linha de fora. Quando você tiver entendido tudo que aconteceu no dia 1º de maio, pode passar pra edição do dia seguinte. O mesmo em relação ao dia 7 de setembro. E fique em casa.

— Posso sair de máscara?

— Não. O problema são os olhos. Na rua você pode voltar a ter visões de pessoas clamando por liberdade. Cada recaída vai multiplicar o tempo do tratamento, isto é, a quantidade de jornais que você terá que ler para se desintoxicar da realidade.

O paciente sai do consultório aliviado e confiante. Começa então o tratamento de imersão no consórcio — que antigamente se chamava imprensa — e passa a se conectar com um mundo pródigo que o seu negacionismo estava rejeitando. Nesse mundo, ele descobre que as ruas não são mais necessárias — porque existem as telas, e nelas a liberdade e a justiça estão sendo defendidas bravamente por Renan Calheiros.

Como a sensação de que todos os problemas estão resolvidos pode dar sono, o tratamento inclui pequenos choques sonoros do senador soprano Randolfe — sempre pedindo a prisão de alguém aos gritos para manter o paciente alerta.

O tratamento prossegue com as notícias de que o Supremo Tribunal Federal reparou uma injustiça histórica inocentando o ladrão mais querido do país. Se o paciente continuasse vagando pelas ruas em contato com a realidade — essa entidade reacionária —, teria talvez a impressão de que esse ladrão é execrado e o STF é um lixo. Mas, mergulhado no consórcio da verdade, o paciente jamais será acometido desses delírios raivosos.

O amor bandido é um sucesso nas pesquisas de opinião. É o favorito da galáxia. Sem medo de ser feliz, de ser cínico, de ser egoísta, de ser hipócrita e de ser escroto. A mensagem é clara: troque o seu medo e o seu ódio pela empatia por aqueles que realmente precisam de apoio e solidariedade para te assaltar sem culpa.

Quem precisa noticiar as vontades do povo, que está sempre cheio de vontades e nunca satisfeito, se pode noticiar as vontades do Renan Calheiros? Esse grande brasileiro, parça do Lula, onipresente na CPI e nos inquéritos policiais, foi visto em determinado momento bradando contra as "baixarias" — e ganhando imediatamente todas as manchetes amestradas com a sua denúncia depuradora.

Manchetes de uma imprensa que passou a se apresentar como gladiadora do bem contra o mal. É isso aí. Não pode haver dúvidas nessa fronteira entre o bem e o mal. Força, Renan.

E, se você recair e continuar dizendo que viu gente na rua em defesa da liberdade, os checadores vão checar você — e concluir que você não existe. Se cuida.

O senador honesto interroga o médico responsável:

— Por que o senhor aceitou ir para esse governo?

— Pela biografia.

— Que biografia?

— A minha.

— Eu sei que é a sua, companheiro. Perguntei o que tem a ver a sua resposta com a minha pergunta. Biografia todo mundo tem.

— É verdade. Mas há biografias e biografias.

— O senhor é sempre tão técnico assim no seu trabalho? — pergunta o senador, impaciente.

— Sim. Sou um profissional eminentemente técnico. É importante para a minha biografia.

— A próxima vez que falar de biografia aqui, eu vou...

— Calma. Não preciso mais falar de biografia. Já consegui o que eu queria nesse departamento.

— O quê?

— Incrementar minha biografia.

— Trabalhando num governo desses? Que eu inclusive estou trabalhando pra derrubar?

— Pode derrubar. Isso não vai alterar em nada o meu currículo.

— É, faz sentido. Mas por que você saiu tão rápido do governo?

— O senhor achou rápido? Eu achei que até demorou.

— Menos de um mês como ministro? Isso é longo para o senhor?

— Uma eternidade. Bastaria um dia pra dar uma bombada na minha bio... desculpe, no meu currículo. Fui até generoso.

— O senhor disse que o governo é uma bagunça, que o clima era péssimo etc. Por que não declarou isso quando saiu do cargo? Por que esperou um ano?

— Porque só tive vontade de contar isso diante de um senador honesto.

— Muito obrigado. O senhor é lindo.

— O senhor é charmoso.

— O senhor é eminentemente técnico.

— O senhor é eminentemente um grande brasileiro e aquela montanha de inquéritos que abriram contra o senhor é pura inveja da sua retidão, e...

— Bem, vamos voltar aqui para o mérito...

— O senhor tem muito.

— O quê?

— Mérito. O senhor é a mais completa tradução do mérito. Meritíssimo! Meritocrático! Meritômano! Meritocôndrio! Meritossintético! Meritoplásmico! Merito...

— Chega!

— Ué, estou te elogiando, excelência...

— Tá bom, obrigado. Mas é que eu preciso extrair logo a manchete, o consórcio tá esperando.

— Consórcio?

— É. Não sabe o que é consórcio? Jornal, revista, televisão...

— Ah, sim. Claro.

— Ótimo. Então seja mais específico por favor, pra facilitar a manchete do consórcio.

— Ok. Serei específico: o seu grande mérito é ter virado herói de uma imprensa, quero dizer, de um consórcio que o tratava como um excremento. Só os grandes alquimistas conseguem isso! E eu diria até que...

— Cala a boca! Não é nada disso. Facilita o meu trabalho, porra. Fala logo aí a palavrinha mágica.

— Ok. Cloroquina.

— Ufa! Até que enfim. Muito obrigado. Desculpa aí a minha grosseria. É que às vezes a vida de um senador é muito estressante e...

— Imagina, excelência. Não precisa se desculpar. De estresse eu entendo. Sou médico, esqueceu?

— É, tinha até esquecido. Então o doutor me entende.

— Totalmente. E confesso que eu mesmo estou até hoje de spa em spa para curar o estresse da minha passagem pelo governo.

— Depois de um ano aquelas quatro semanas ainda te fazem sofrer?

— Muito. Tenho até pesadelos. Num deles, eu pegava a minha bio... o meu currículo e tinha simplesmente desaparecido a palavra "ministro". Acordei aos prantos.

— Ah... É, posso imaginar. Mas, doutor... Voltando: então o senhor ia dizendo que a cloroquina...

— Foi horrível. Eles queriam me obrigar a pronunciar essa palavra maldita. Mas eu fiquei firme e saí do governo.

— Bravo! Anotaram aí, caríssimos jornalistas do consórcio? "Ministro deixou o governo por causa da cloroquina." Não vão errar, hein? Ministro querido, muito obrigado pelo seu depoimento sincero e corajoso.

— Ué, já acabou? Mas eu ainda nem falei da aula magna que eu dei como professor visitante na universidade de...

— Some daqui, seu chato!

E foi assim que o bravo consórcio da imprensa justiceira transformou, em plena tragédia, uma CPI em palanque para a escória da política nacional. Tudo pela vida.

Há certos momentos em que é preciso reconhecer o triunfo daquilo que você deplora. Então vamos lá: a CPI da Covid-19 foi um sucesso. Essa é a sentença inescapável, irrefutável, definitiva sobre o aleijão que dominou a vida pública brasileira no momento da história em que isso menos poderia acontecer.

O tribunal surrealista de Renan Calheiros venceu. Naturalmente, com a ajuda da imprensa marrom, que virou maioria esmagadora. Virou consórcio. E isso não é papo de gueto, não é ladainha desses perseguidos profissionais que vivem se lamuriando para demarcar seu lote — igualzinho àqueles de quem se queixam. Criticar genericamente a imprensa sempre foi um erro, porque ela é o oxigênio da liberdade. Era.

Imprensa que transforma Renan Calheiros em herói da ciência, da ética e da empatia é imprensa marrom. Fim de papo. Durmam com esse barulho. E com os faniquitos do Randolfe.

O jornalismo vinha se transformando em outra coisa havia alguns anos. No Brasil, um dos marcos da virada foi o cerco conspiratório ao Palácio do Planalto em 2017, numa tentativa tosca de virada de mesa com a famigerada dupla Janoesley. Nem o Temer, que não tinha voto, que não tinha nada, a novíssima imprensa marrom conseguiu derrubar. Mas conspirar e mentir é só começar. As *fake news* de grife vieram para ficar.

E foi nesse ambiente de transformismo intelectual que um Brasil de audiência, distraído, consagrou a arapuca do Omar. Se era abjeto, desprezível e sórdido, por que só se falava disso? Ah, porque é abjeto, desprezível e sórdido. É mesmo? Então a armadilha deu certo. Os de boa-fé caíram como patinhos. O truque era colocar essa pegadinha no centro da política nacional. E deu certo. Graças aos picaretas e aos indignados.

Uma multidão de brasileiros com propósitos sérios para o seu país só falava daquele circo. Contando ninguém acredita. Ah, mas era para deplorar...

E daí? Deplorando, xingando, discutindo, dando audiência, o Brasil consagrou aquela porcaria como o fato dominante da nação. Nem Rodrigo Maia, o rei da roda presa, teve uma conjuntura tão favorável para sentar em cima da agenda de reformas.

A seita do *lockdown* mental nunca teve uma ajuda tão valiosa em seu plano neurótico de deixar tudo parado: os que detestam Renan Calheiros só falavam de Renan Calheiros. E isso nem foi um problema para o Bolsonaro. Para ele (eleitoralmente), foi ótimo. Ninguém pode ter uma campanha melhor do que ser diariamente atacado por Renan Calheiros. O mais esperto dos marqueteiros não sacaria uma estratégia dessas. Quem se arrebenta com um país hipnotizado por um palanque fantasiado de CPI é ele mesmo, o país.

E num palanque de grotão vale tudo, mesmo que ele esteja montado casualmente dentro do Senado Federal. Duvida? Então imagine uma médica oncologista sendo interrogada por um senador de várzea:

— A senhora não respondeu minha pergunta.

— Eu...

— Não me interrompa! Estou falando, não tá vendo?

— Mas como é que eu vou...

— Cala a boca! Se me interromper de novo serei obrigado a tomar medidas duras contra a senhora.

— ...

— Voltando: por que a senhora não respondeu minha pergunta?

— ...

— A senhora está surda? Fiz uma pergunta!

— Já posso falar?

— Ah, tá debochando, né? Sabe o que pode acontecer com quem debocha nesse interrogatório?

— Não, só fiquei confusa com as regras...

— Tá mentindo!

— Hein? Só disse que fiquei confusa.

— Não interessa o que disse! A mentira tá na sua voz!

— Como assim?

— Cala a boca! Não gosto da sua voz! É voz de quem mente!

— Como é voz de quem mente?

— É assim, que nem a sua! Suavezinha, delicadinha, calminha.

— Mas eu sou médica, lido com pessoas vulneráveis e preciso falar num tom que...

— Médica nada! Mentirosa! Esse tom aí é para enganar os outros! Tanto que não respondeu minha pergunta.

— Eu respondi...

— A sua resposta não serve! Resposta nessa voz não serve! Não gosto dessa voz! Tudo o que falar com essa voz é mentira. E quem mente aqui vai preso.

— ...

— Tá debochando de novo? Fica caladinha só pra me irritar, né? Cadê o *habeas corpus*? Tem um *habeas corpus* aí debaixo do braço pra ficar em silêncio?

— Não.

— Claro que não. O STF não ia dar *habeas corpus* a uma mentirosa. Mas gostei da sua resposta. Daqui pra frente quero assim: responde só "sim" ou "não". Mais nada. Não aguento mais ouvir a sua voz. Não gosto da sua voz!

— ...

— Tá me desafiando?!

— Não.

— Posso imaginar seu sorrisinho cínico debaixo da máscara. Tá rindo da minha cara?

— Não.

— Tá achando que tem alguém mais poderoso que eu nesta sala?

— Não.

— Porra, você só responde "não"! Tudo é "não"! Você é negacionista!

— Não.

— Cala a boca! Não te perguntei nada. Só fala quando eu perguntar!

— ...

— Tá me provocando de novo, né? Este seu silêncio sonso me irrita. Fala alguma coisa, porra! Mas não com aquela sua voz calminha de que eu não gosto. Você só tem essa voz chatinha?

— Sim.

— Não me provoca! Cala a boca! Fala alguma coisa! Silêncio! Responde! Não mente! Não quero mais ouvir essa voz suave de gente mentirosa! Não quero mais ouvir o seu silêncio! Não quero mais olhar pra você sem dizer nada na minha frente! Cínica! Tá me provocando? Fala alguma coisa, porra! Você tem língua?

— Sim.

— Agora só fala "sim"?! Antes só falava "não"! É a prova de que é mentirosa! Cada hora fala uma coisa! Se cair mais uma vez em contradição vou mandar te prender!

— ...

— Debochando de novo, né? Não aguento mais olhar pra sua cara! Some daqui antes que eu te arrebente!

— ...

— Tá indo aonde?! Parada aí! Não se mova! Tá fugindo? Acha que vai fugir de mim assim com essa facilidade? Perdeu a noção do perigo?!

— Não.

— Ah, agora é "não"? Não tinha mudado pra "sim"?! Cada hora diz uma coisa? Mentirosa! Não sabe explicar nada, não tem argumento, só fica dizendo sim, não, não, sim... Tá achando que eu sou trouxa, madame?!

— Sim.

— O quê??!! Desacato! Vou acabar com a sua raça! Filma ela! Fotografa ela! Escreve aí, imprensa: vou acabar com essa negacionista disfarçada de médica! Vou destroçar! Vou escalpelar! Vou trucidar! Não vou aceitar esse desrespeito à ética e à democracia!

Resumo da audiência entre a médica e o monstro: a médica continuou sendo médica, o monstro continuou sendo monstro, a imprensa marrom continuou sendo marrom (com sua roupa nova de consórcio) e a classe médica continuou assistindo a esse show de horrores fantasiado de defesa da vida.

* * *

A imprensa sempre gostou de ciência do tipo: comer ovo sem clara pode aumentar a longevidade; soneca pode elevar as chances de obesidade; falar muito no telefone pode estar relacionado à redução da libido etc. Os “estudos” supracitados não existem, mas estão baseados em décadas de leitura de chutes da mesma categoria embalados como ciência. (Ou seja: pode ser até que esses estudos existam...). Agora projete essa “tendência” para uma situação de pandemia.

Vale observar que epidemias em geral também sempre se tornaram acontecimentos muito especiais na imprensa. Em parte pelo papel importante de informação sobre riscos, cuidados e atendimento, em parte pelo papel lamentável de especulação sobre riscos, cuidados e atendimento. Parece ser uma característica inerente ao ser humano: diante de qualquer perigo disseminado e invisível, como são os vírus, o poder do controle coletivo (para o bem ou para o mal) sobe à cabeça.

Um cantor conhecido foi preso na periferia do Rio de Janeiro porque fez um show e, segundo a conjunção científica das manchetes e da polícia, cometeu o crime de colocar em risco a vida das pessoas que se reuniram para assisti-lo. Por esse critério, inúmeros donos de frotas de ônibus, prefeitos e governadores do Brasil, durante a pandemia, deveriam ter sido presos. Eles permitiram aglomerações em escala muito maior nos transportes coletivos, por muito mais tempo. Onde estavam as manchetes da ciência providencial para denunciar isso?

Ninguém sabe, ninguém viu. Na quarentena vip, as notícias eram de que o mundo lá fora estava acabando, mas você ia se salvar ficando em casa. Empatia é tudo.

Aí aparecia o dr. Fauci, fornecedor oficial de manchetes apavorantes, enfim, o muso do consórcio, avisando que era para passar a usar duas máscaras. Sim, isso mesmo: uma máscara em cima da outra. E ele não estava falando do carnaval. Como assim? Se uma máscara não funciona, ela não deveria ser substituída por uma que funcione?

Não. Segundo a moderna literatura científica instantânea, a junção de duas barreiras que não barram desencoraja o vírus. Com toda a certeza, essa diretriz fez muito bem à saúde dos vendedores de máscaras.

Tome vacina, use máscara e fique em casa. Grande política sanitária propagada pela grande imprensa — na mesmíssima linha dos critérios hollywoodianos do dr. Fauci. É isso aí: várias medidas de eficácia duvidosa juntas haveriam de prover a devida eficácia. Vacinas experimentais, liberadas após cerca de seis meses de testes, com estudos insuficientes para eficácia e segurança em idosos, por exemplo, como assinalou textualmente a agência sanitária brasileira ao liberar o produto, foram tratadas solenemente como "imunizantes" por médicos e jornalistas.

Existe panaceia de eficácia duvidosa? Na dúvida, use máscara. Ou melhor, use duas máscaras. E *lockdown* na veia. O *lockdown* indiscriminado não teve efetividade contra a Covid-19, conforme atestou o epidemiologista John Ioannidis (Stanford), mas pelo menos te serviu para não ser preso. Já é alguma coisa.

Plataformas de rede social censuraram informações sobre terapêuticas antivirais com estudos promissores, de custos e riscos baixos, porque ciência é só o que sai da cabeça falante do dr. Fauci. Tudo bem. Então vamos continuar divulgando aqui também nossos estudos científicos: além da clara de ovo, da soneca e do celular, cuidado com a imprensa marrom. Dependendo da quantidade diária de manchetes que consumir, você tem até 99,9% de chance de virar um idiota.

CAPÍTULO 4

O Fim da história

A História acabou na última década do século 20. Ou pelo menos teve gente graduada decretando o seu término. A tese do "Fim da História", vocalizada inicialmente pelo teórico Francis Fukuyama e depois muito difundida nos meios acadêmicos e no mundo político, enxergava um planeta pacificado no pós-Guerra Fria. A escalada das tensões provenientes da divisão do mundo entre norte-americanos e soviéticos estava encerrada e chegara o momento em que as sociedades não se moveriam mais à base de solavancos políticos.

Claro que o "Fim da História" era uma expressão provocativa (em todo intelectual habita um marqueteiro adormecido). Mas a tese tinha lá sua consistência. Ao final de um século de grandes guerras, o avanço industrial e a disseminação tecnológica empurrariam a humanidade para a expansão do bem-estar. Fazia sentido.

A segunda metade do século 20 tinha trazido um evidente salto cultural e humanitário, com a ascensão dos códigos de compreensão e tolerância religiosa, racial, política, sexual etc. Parecia não haver dúvidas de que o mundo chegava ao fim do século com muito menos motivos para brigar.

A tese do "Fim da História" seria apresentada e lida por muitos como a "paz norte-americana" — em alusão ao triunfo dos Estados Unidos sobre a União Soviética ao final da Guerra Fria. Mas essa leitura era enganosa. A História não teria "acabado" por causa de uma afirmação hegemônica norte-americana. Seria, na verdade, a vitória da hegemonia democrática.

Em lugar de rusgas entre estadistas traçando as grandes linhas da História, a humanidade passaria a se mover em direção a grandes consensos. Não pela eliminação de diferenças ou centralização de poderes globais, mas pelo próprio avanço civilizatório geral — que traria uma tendência mais forte ao pragmatismo e ao bom senso. Evolução.

A última década do século passado confirmou, ao menos em parte, essa tendência. Tanto nas Américas quanto na Europa se firmaram representações governamentais menos caricatas — visivelmente desintoxicadas da dualidade primária simbolizada pelo Muro de Berlim, o monumento à divisão. A queda do Muro ensejou, de fato, formas mais consensuais de organização das sociedades, o que parecia ser um ferimento de morte na demagogia e nos semeadores de crise.

Não foi um período de flerte com o pensamento único. Ao contrário. Exercitou-se amplamente o contraditório, ou seja, a liberdade vigorosa — baseada em valores conquistados a duras penas e à custa de muito sangue. Pareciam realmente características de sociedades amadurecidas. Quanto maior a evolução, menor a chance de conflitos primários ou evitáveis.

O Brasil, claro, estava nessa. Na década de 1990, o país saiu da adolescência perante a comunidade internacional. Superou posturas demagógicas e inadimplências populistas para se firmar como um parceiro confiável, aproximando-se dessa ordem convergente de valores administrativos e culturais.

O cenário interno brasileiro nunca foi tão ingrato para os vendedores de segregação como na última década do século 20. Não foram poucas as personalidades militantes que rasgaram suas fantasias oposicionistas para apoiar reformas liberais e pragmáticas.

É claro que a História não tinha acabado. Mas parecia ter mudado de patamar evolutivo — não pela vontade de algum filósofo, mas por inegáveis conquistas da própria humanidade. Por que ela não se manteve nesse trilho? Por que o século 21 passou a caminhar tão rapidamente para a desarmonia?

É um mistério. Com os destroços do Muro de Berlim à sua frente, Fukuyama jamais diria que em tão pouco tempo renasceria com toda força o primarismo da dicotomia direita x esquerda e seus congêneres. Trinta anos para a História é pouco tempo. E lá se foi a humanidade investir novamente na cisão.

Essas caricaturas binárias são o paraíso dos oportunistas e dos medíocres. Venha para o meu lado porque aqui está o bem; cuidado com o outro lado, que contém todo o mal; e por aí vai. Infelizmente o mundo é um pouco mais complexo que isso, mas não tem problema: sempre que um "direitista" se comportar em desacordo com a imaculada "direita" — como o primeiro-ministro inglês Boris Johnson e seu *lockdown* soviético na pandemia —, é porque ele no fundo é meio "de esquerda". E sempre que um "esquerdista" se comportar em desacordo com a imaculada "esquerda" — como FHC fazendo a reforma "neoliberal" do Plano Real

—, é porque ele no fundo é meio "de direita". A utopia burra está sempre a salvo.

Na época do Plano Real, quando o pragmatismo e o bom senso deram uma surra no pingue-pongue das caricaturas ideológicas, o PT investiu tudo na tese de que a reforma monetária (que elevou a renda dos mais pobres) era um golpe elitista "da direita". Arnaldo Jabor traduziu bem o discurso petista, dizendo que José Dirceu tinha um Muro de Berlim atravessado na mente.

O Muro de Berlim tinha caído apenas cinco anos antes e o mundo achava que estava livre também das mentes binárias. Pobre mundo. Mal sabia ele o quanto a humanidade ama mentes binárias.

O Plano Real melhorou todos os indicadores sociais e enlouqueceu as patrulhas da época. Ainda por cima veio a privatização da telefonia — também rotulada como uma medida neoliberal, de direita etc. — e ampliou os ganhos para a população em geral, especialmente a de baixa renda. E agora?

Não mudou nada. Os hipócritas continuaram chamando aquilo de "privataria", e o Real, de estelionato eleitoral, porque o truque você já entendeu qual é: se manter numa trincheira imaginária para poder praguejar contra os "poderosos autoritários" em favor do "povo" ou coisa que o valha. Desmascarar hipócritas é "conservadorismo"? Com todo o respeito aos fanáticos por esse álbum de figurinhas, por que isso não poderia ser chamado de "desmascarar hipócritas"?

Porque aí você tira todo mundo das trincheiras imaginárias, inclusive as do outro lado. E sem elas jamais poderia surgir um paraquedista como Wilson Witzel (o governador do Rio de Janeiro afastado pelo Covidão) se apresentando como um representante da direita contra a esquerdalha. Indumentária ideológica distingue picaretas? Não. Só protege. A dicotomia direita x esquerda é um poderoso alimento para o autoritarismo e a corrupção intelectual.

As tentações autoritárias das grandes plataformas de rede social, que são uma revolução democrática, bebem nessa fonte. No momento em que as formas de vida e de comportamento nas sociedades alcançaram níveis de harmonia sem precedentes — em parte devido às próprias tecnologias de comunicação — o mundo se uniu para brincar de segregar. *Mim* progressista, *tu* conservador, ou vice-versa, como se diria na diplomacia do Tarzan.

O governo Trump, por exemplo, foi benéfico para todas as minorias, sem exceção — tanto em termos econômicos quanto de liberdade —, e isso precisou ser omitido para não estragar a caricatura do vilão reacionário, que alimenta os libertários de proveta. O banimento de Trump de redes sociais foi um troféu "pacifista". Mas a violência de grupos que fazem demagogia racial foi tolerada pelos que diziam combater a onda de ódio. E o que protege essa hipocrisia? O rótulo.

Mim progressista, portanto *mim* pacifista, empático etc. E o sujeito que só quer trabalhar e levar a vida sem parasitas em seu cangote, cai na armadilha e reage: *mim* conservador do bem, *tu* progressista do mal etc. Esse passa a acreditar que o rótulo "direita" é a senha segura da virtude. Aí vê Israel (governo "de direita") trucidar a liberdade com *lockdowns* brutais e passaporte sanitário anticientífico. Típico da esquerdalha? Ou seria direitalha?

Bem, já que o mundo resolveu parar para se fazer esse tipo de pergunta, não vamos nadar contra a corrente. Segue aqui a nossa contribuição para o debate intelectual contemporâneo com outras perguntas instigantes, cujas respostas podem ser úteis para você que está em busca de motivos para cancelar alguém, ou pelo menos descobrir que, em toda pessoa que você gosta, existe um inimigo em potencial:

O nazismo era de direita ou de esquerda?

A reforma da Previdência foi de esquerda ou de direita?

A conversa fiada é de direita ou de esquerda?

A falta do que fazer é de esquerda ou de direita?

O seu cachorro é de direita ou de esquerda?

A muçarela é de esquerda e a calabresa é de direita? Ou depende de quem come?

Quem pede pizza sem divisão de sabores é isentão?

Os nostálgicos do Muro de Berlim que continuam dividindo a mente ao meio como se fosse uma pizza mofada são de direita ou de esquerda?

Um mundo que se ajoelha para a ditadura chinesa teria se ajoelhado para Hitler?

O pai do Plano Real foi Itamar ou FHC?

Cabral estava perdido ou sabia aonde ia?

Quantos anos de prisão faltam para Cabral empatar com o Descobrimento?

Anitta sensualizando na laje é empoderamento ou vulgaridade?

Amélia é que era mulher de verdade?

Quem foi melhor: Sócrates ou Platão?

Quem foi melhor: Sócrates ou Falcão?

A Copa do Mundo de 1966 foi roubada para a Inglaterra?

Foi justo o banimento de Maradona na Copa de 1994?

Foi justa a desclassificação de Plutão no Sistema Solar?

Paul McCartney foi substituído por um sósia no final dos anos 1960?

Serguei cantou ou não cantou com Janis Joplin?

Se o sol não nascer o galo vai cantar ou vai continuar dormindo?

Quem vai ficar por último: o ovo ou a galinha?

O aquecimento global vai derreter a consciência ou a consciência vai derreter o aquecimento global?

Quem foi o maior poeta brasileiro?

Quem foi o chato que inventou o *ranking* de poesia?

Quem foi o tonto que transformou arte em campeonato?

Por que Chapeuzinho Vermelho não escolheu uma cor mais discreta?

Getúlio Vargas sabia do atentado a Carlos Lacerda?

O tiro do Catete abafou o grito do Ipiranga?

A Bossa Nova está para a Jovem Guarda assim como o barquinho está para a motocicleta?

João Gilberto ou Roberto Carlos?

Grande Otelo ou Renato Aragão?

Freud ou Jung?

Mickey Mouse ou Pato Donald?

Cinderela ou Branca de Neve?

Facebook ou Instagram?

Texto ou áudio?

Salgado ou doce?

Dia ou noite?

Frio ou calor?

Praia ou serra?

Fotografia ou pintura?

Censura dissimulada ou assumida?

Checar e patrulhar é só começar?

É preciso criar um VAR para checar os erros do VAR?

Mentira deslavada ou *fake news* de grife?

Tirania carrancuda ou fantasiada de empatia?

Em que estágio do cinismo utilizado para controlar e subjugar o outro à reação em sentido contrário passará a ser a força bruta?

Ser ou não ser?

* * *

A farsa dos hemisférios supostamente ideológicos é generosa com os canastrões. Você pode até usá-la para relativizar o crime fingindo que está combatendo a "extrema direita". Foi assim que Lula da Silva ressurgiu na cena política como alternativa-democrática-contra-o-autoritarismo, *descondenado* pelo Supremo Tribunal Federal.

Assim, o STF reparou uma injustiça histórica. De fato, havia um erro na questão da competência para julgar Lula. Todo mundo sabe que ele só poderia ser julgado numa vara onde houvesse um juiz capaz de atestar a idoneidade de um ladrão.

E isso não aconteceu. Lula foi condenado por corrupção passiva e lavagem de dinheiro (duas vezes) porque o judiciário de primeira instância, de segunda instância (Tribunal Regional Federal da 4ª Região) e de terceira instância (Superior Tribunal de Justiça) estava muito mal equipado, sem um único juiz amigo que pudesse compreender a complexidade desse homem bom que assaltou o povo sem querer prejudicar ninguém. Ao menos uma fração daqueles mais de cinco bilhões de reais devolvidos pela quadrilha do petrolão poderia ter sido usada para comprar um pouco mais de compreensão.

A vara de Curitiba só podia julgar processos relacionados à Petrobras. A OAS ganhou de Lula contratos fraudulentos com a estatal petrolífera e pagou a ele e seu bando propinas oriundas do caixa de corrupção da empreiteira, mas não tinha nenhum azulejo do triplex do Guarujá com o carimbo "Obrigado, Lula, pela grana que nós roubamos juntos da Petrobras".

Ou seja: uma coisa é você roubar honestamente a maior empresa pública do país porque você tem o legítimo desejo de ficar rico que nem os seus comparsas; outra coisa muito diferente é a Justiça querer adivinhar o que foi propina decorrente da negociata e o que foi só um presentinho do seu amigo empreiteiro porque ele gosta de você. Obviamente isso é questão de foro íntimo, e a 13ª Vara de Curitiba vai ter que responder por invasão de privacidade.

O que o STF fez ao inocentar Lula foi mostrar o grande erro da operação Lava Jato: ela não sabia com quem estava falando. E não foi por falta de aviso. A intelectualidade de cabresto, a burguesia decadente, as subcelebridades e a bandidagem do bem alertaram desde sempre aos homens da lei: para Lula não há lei. E o escândalo do mensalão era a prova cabal disso (ou científica, como se diz nos melhores fundos de quintal): José Dirceu foi preso por montar um propinoduto entre empresas estatais e o PT para comprar deputados e outras bugigangas — e Lula saiu assobiando numa boa, porque Dirceu era seu braço direito, mas nem todo mundo sabe o que o seu braço direito faz. Nem a sua mão boba.

A Lava Jato não quis entender isso. Recusou-se a obedecer a lei máxima nacional, segundo a qual roubar não é crime se você é um picareta festejado por estrelas cadentes da mpb e por uma legião de inocentes úteis e inúteis. Como disse um famoso advogado do clubinho dos milionários "de esquerda" (olha o verniz redentor aí), se o crime já foi cometido mesmo, para que punir?

Perdeu, *playboy*. Ressuscitando sua lendária militância em favor de Dilma Rousseff, a musa dos intelectuais, o ministro Fachin sacou sua faquinha e *tchum!* Adeus, roubalheira. Aí foi só correr para o abraço das togas esvoaçantes, exuberantes como asas de urubu em perfeita coordenação para envolver e proteger a carniça. Lula livre!

As pesquisas fizeram a sua parte e passaram a mostrar Lula na estratosfera — com 171% das intenções de voto, segundo o instituto DataVenia. E o melhor da festa: o discreto ex-juiz que prendeu Lula trocou de roupa e ressurgiu como falastrão, candidato a político demagogo. Contando, ninguém acredita.

Não muito tempo depois de virar herói nacional como símbolo da Lava Jato, Sergio Moro começou a aprender o que é vaia. Foi o que aconteceu no início de 2022 num aeroporto na Paraíba. Ele disse achar que eram pessoas pagas para vaiá-lo. Não é que Sergio Moro achasse que não existiam motivos para que ele fosse vaiado. Sergio Moro não achava mais nada. Apenas tinha passado a repetir o que os seus (péssimos) marqueteiros mandavam dizer. Virou um boneco.

E um boneco sem graça. Existem bonecos engraçadinhos. O boneco de Moro foi feito de forma caprichada para não expressar nada. E olhem que isso é difícil para alguém que botou na cadeia o maior ladrão do país. Mas aí é que está: o boneco se esqueceu do ladrão. Passou a concorrer com ele diretamente numa eleição presidencial sem bradar contra o escândalo da reabilitação do seu principal réu.

O boneco só repetia gemidos contra o governo. Seus geniais marqueteiros devem ter-lhe dado a instrução matadora: se você quer ser presidente, tem que dinamitar o atual presidente. Esses estrategistas modernos sabem tudo. O problema é que para dinamitar é preciso dinamite. Não se tem notícia na história de alguém ou algo que tenha sido dinamitado com um peteleco. Ou com postagens descoladas no Twitter. Moro virou uma espécie de Haddad. A diferença básica é que Haddad é mais bonitinho.

Teoricamente, um boneco deveria ser mais expressivo que um poste. Mas a realidade gosta de zombar das teorias. E deu-se a zombaria: um boneco todo vestidinho de alternativa moderada de centro conseguindo ser menos expressivo que um poste sem luz, construído por um criminoso dentro de uma cadeia.

No aeroporto, Sergio Moro foi chamado de traidor. Aí mandaram o pobre ex-juiz, perdidinho da Silva na política, dizer que era claque de aluguel do Bolsonaro. Não tinha ninguém um pouco inteligente por perto para alertar Moro de que quanto mais ele cascateasse daquele jeito pueril, mais seria considerado traidor — e não necessariamente por bolsonaristas. Quanto mais repetisse barbaridades que seus grilos falantes (e não pensantes) lhe sopravam, tipo tentar culpar a equipe de Paulo Guedes pela inflação mundial da pandemia, mais trairia a si mesmo aos olhos dos que o consideravam um símbolo de justiça e retidão.

Símbolo de justiça e retidão não faz esse papelão. O candidato sem noção que surgiu na praça é o ex-Sergio Moro. Até culpar Bolsonaro pela reabilitação de Lula ele tentou, revelando toda sua covardia diante do STF, o real agente da ressurreição política do ladrão, numa manobra de casuísmo que aquele juiz da Lava Jato entenderia muito bem. "O crime não compensa" não estava entre as frases prontas que deram para o boneco matraquear.

Mais um produto original da dicotomia burra direita x esquerda, Sergio Moro foi lançado como a solução providencial da "terceira via". Era nessa bobagem que ele estava pensando (e acreditando) quando deu seu showzinho midiático ao se demitir do governo. Eu sou o símbolo do combate à corrupção, então é só eu dizer que o presidente atrapalha o trabalho da polícia que eu acabo com ele — deve ter pensado o ex-juiz, com todo o faro político que passou a demonstrar. Prendi o ladrão de esquerda, derrubo o presidente de direita e corro para o abraço. Gênio.

A tal tese da interferência de Bolsonaro na Polícia Federal virou inquérito no STF, com direito a divulgação pública de reunião ministerial fechada, e, mais de um ano depois, Sergio Moro fazia sua estreia como político discursando no Senado Federal — sem que a tese da interferência presidencial na PF tivesse sido confirmada por investigação alguma. Ou seja: Moro chegava ao Senado como um justiceiro de mãos abanando.

E deu um show. Não pense que é fácil fazer o que ele fez. Pelo resultado da sua incursão no parlamento como pré-candidato, dá para imaginar o papo com o marqueteiro na chegada a Brasília:

— O que eu falo? Não tenho a menor ideia. Não entendo nada de nenhum desses assuntos.

— Relaxa, Moro. Você vai tirar de letra.

— Que letra? De A a Z são muitas letras. Me ajuda, por favor.

— Calma, rapaz. Esquece as letras. Não precisa decorar nada.

— Como eu posso ficar calmo desse jeito? Você não me fala nada concreto. Estou ficando desesperado. E ainda me disseram que você está ganhando uma fortuna para fazer comigo o que o Gepeto fez com o Pinóquio.

— A vantagem é que na política você pode mentir que o seu nariz não cresce.

— Não falei em mentir. Falei em transformar boneco em gente.

— Ah, sim. É exatamente isso. A não ser que você queira continuar sendo só um boneco.

— Não sou boneco. Nunca fui. Sou ex-juiz, ex-ministro, ex-candidato ao STF e ex-Sergio Moro.

— Foi o que eu falei. Você renunciou a tudo para se transformar numa coisa que te disseram que é ótima e você ainda não sabe o que é. Então, por enquanto, você é um boneco zanzando por Brasília. Mas fica tranquilo que eu vou te dar vida. Você vai arrasar.

— Então me explica de uma vez o que eu tenho que fazer. Já estamos chegando ao Senado e quando eu saltar desse carro já vou ter que sair falando alguma coisa.

— Você vai falar o que o povo quer ouvir.

— O que o povo quer ouvir?

— Olha, Moro, realmente não vai dar tempo de te explicar tudo correndo agora. Olha ali o Congresso... Chegamos.

— Socorro!

— Calma, bobo. Vou te dar uma dica matadora em menos de um minuto e você vai brilhar no parlamento.

— Fala logo!

— É simples. Basta você ser uma mistura de Ciro Gomes com Marina Silva, botar um sotaque de PSOL com empáfia tucana, sem esquecer a carranca de justiceiro conservador e correr para o abraço.

Mostrando ser um aluno aplicado, Sergio Moro seguiu à risca a dica do marqueteiro e fez história no Senado, encarnando a primeira mistura de presidenciáveis profissionais com grande talento. O melhor da festa é que toda essa pantomima foi representada diante do olhar apaixonado dos jornalistas do consórcio (antiga imprensa) — aqueles mesmos que queriam o coro de Moro quando ele era sério. As voltas que o mundo dá.

O boneco de carne e osso falou um pouco de tudo. Basicamente conclamou seu partido (sim, ele agora estava filiado) a votar contra a PEC dos Precatórios — na linha estratégica genial de Bolsonaro-fala-A-eu-falo-B, que ele passou a desempenhar com brilhantismo desde que inaugurou com o impagável Mandetta a bancada dos ministros de oposição, em plena eclosão da pandemia. Esses bonecos são danados.

O melhor de tudo foi a explicação da sua "orientação" partidária contra a PEC. Sergio Moro disse que estava muito preocupado com o teto de gastos — e fez uma dissertação sobre responsabilidade fiscal que encheria de confiança qualquer candidato a presidente de grêmio estudantil ("se ele pode, eu também posso"). Naturalmente, como a PEC dos Precatórios era uma medida justamente contra o colapso fiscal — o que colocava o discurso de Moro em colisão com a posição de Moro —, o boneco falante deu umas duas voltas ao mundo empilhando os melhores clichês do economês para iniciantes e retornou com expressão vazia e triunfal à sua claque ignara.

"Faz sentido", exclamaria Marina Silva. Esse negócio de fazer sentido se tornou algo realmente muito peculiar, e só mesmo os mais desinibidos conseguem. Conclusão: o tímido Moro alcançou a desinibição e já se mostrava capaz de cascatear com a fluência de um Ciro Gomes.

Esqueça aquele ex-juiz trancado e monossilábico. O candidato do Podemos (*Yes, we can!*) surgiu falando de Amazônia, clima, gênero, raça, saúde, educação, cultura, empatia e bufê para festa infantil, se você pedisse. Se você não pedisse, ele também falaria. Foram anos e anos de silêncio. Chegara enfim o momento de botar para fora a quantidade proverbial de abobrinhas engasgadas que esse homem carregava e ninguém supunha.

Macron, Trudeau, Dória, Moro... Os gênios do Passaporte 2030 realmente chegaram à conclusão de que a democracia cabe num tubo de ensaio.

CAPÍTULO 5

O Esquema

Tem um perigo lá fora e todos devem ficar em casa. Quem sair coloca não só a própria vida em risco, mas também — e principalmente — a dos outros, porque o perigo é contagioso. O perigo está no mundo todo, então a solução é simples, porque é a mesma para todas as pessoas em todos os lugares: não circule.

Uma pessoa andando sozinha ao ar livre é um ser incompreensivo, insensível e abjeto. O herege moderno. Deve ser imediatamente detida e recolhida exemplarmente, com a energia necessária, e o mundo aprenderá a ver uma mulher sozinha algemada e arrastada por vários homens armados como uma imagem redentora, um emblema da salvação, um manifesto humanista. Quando a coletividade resolve ser ética e levar sua empatia até as últimas consequências ninguém segura. É o maior espetáculo da Terra.

E aqueles ali, circulando amontoados? Olha! Tem mais ali! Lá também! Pra cima deles! Pega! Prende! Esfola! Não? Por que não? Eles não estão colocando vidas em risco? Ah, eles estão indo trabalhar para servir aos empáticos que estão fazendo o distanciamento social perfeito em suas residências espaçosas, coberturas e sítios? Ufa. Então pode, né?

Claro. Para podermos parar o mundo com segurança é preciso abastecer os que estão parados, senão eles morrem de fome e não poderão nem tirar foto do seu isolamento ético.

Fica resolvido assim: fotografamos as mais lindas quarentenas (a da Lady Gaga ficou sensacional) e não fotografamos a muvuca nos ônibus, para não confundir o público e não prejudicar a mensagem da nova ciência sanitária. É muito importante que ninguém se confunda. Com o pessoal das belas quarentenas bem abastecido pelo pessoal dos ônibus e dos trens fica tudo bem e ninguém morre de fome.

E os que não trabalham em casa de rico e precisam buscar informalmente a sua sobrevivência a cada dia nas ruas? Aí a mensagem da nova ciência é clara: quem mandou ser informal? Agora aguenta. Mas isso não é desumano?

Não. Segundo a nova ciência, desumano é caminhar na praia. Fica assim: o governo (você) se endivida para dar dinheiro de graça para uma parte desses informais e o resto fica aglomerado nas periferias esperando que a sorte lhes caia do céu, porque na nova agenda de higienização social não tem lugar para gente desorganizada.

Por falar em higiene, além do distanciamento profilático você vai inocular uma substância que te protege do perigo. Protege você e os outros. Ou, mais exatamente, protege os outros de você. Quem não se inocular está colocando vidas em risco. Se lembra dessa parte? Então não se esqueça nunca mais dela. Este será para sempre o chamado irrecusável de todas as medidas que a nova ética te mandará tomar e você obedecerá, porque é um cidadão consciente, empático e moderno.

Mas, considerando-se que o perigo não se revelou fatal para a imensa maioria das pessoas, não seria suficiente os que forem vulneráveis ou que assim desejarem se proteger com a substância inoculável e todos tocarem a vida em frente?

Não. Os não inoculados são um perigo para os inoculados.

Mas a substância não protege os inoculados contra o perigo?

Claro que protege, mas na dúvida é melhor não arriscar.

Dúvida? Que dúvida?

É que apareceram inoculados infectados.

Ok, mas então se o inoculado pode se infectar, consequentemente pode transmitir, por que determinar a inoculação de todos?

Cala a boca e dá o braço.

Ok. Mas é seguro mesmo, né?

É.

E as pessoas jovens e saudáveis que tiveram reações graves e eventualmente letais exatamente após se inocularem?

Provavelmente foi coincidência, devia ser a hora delas. A hora de todos um dia chega.

Ah, ok. E como foi possível atestar a segurança sem o tempo de observação que todas as outras substâncias imunizantes na história demandaram?

Muita grana.

Hein?

Isso mesmo que você ouviu: dessa vez tinha muito dinheiro envolvido, e os caras são bons demais, entende? Os caras são feras. Eu vi numa palestra do Bill Gates que...

Ok. Não precisa continuar. Já entendi. Viva a ciência e a ética.

Com a ciência, a ética e a empatia saindo dos guetos intelectuais e indo para a boca do povo, tudo mudou. Uma espécie de apoteose laboratorial ganhou as ruas e transformou qualquer esquina num mercado de virtudes iluministas acessíveis a todos:

— Quanto é?

— Uma é 5, duas é 10.

— Tá. Me vê uma.

— Pra você, eu faço duas por 15.

— Tá bom. Obrigado. Me vê duas, então. Funciona mesmo, né?

— Claro, 100%.

— Ótimo. Não posso ter dúvidas.

— Fica tranquilo. Os testes deram mais de 90% de eficácia.

— Noventa? Não era 100?

— Noventa foi nos testes. No mercado real é outra coisa.

— Como assim?

— Já ouviu a frase "treino é treino, jogo é jogo"?

— Já.

— Então, é a mesma coisa. Teste é teste, mercado é mercado.

— Não entendi.

— Raciocina: se um produto tem mais de 90% de eficácia na fase de testes, que não vale nada, imagina como ele vai performar quando for pra valer?

— É... Faz sentido.

— Capaz até de ultrapassar 100%.

— É possível, isso?

— Se o produto for muito bom, sim.

— Caso ultrapasse os 100%, posso dar o que sobrar para um amigo?

— No caso, você vai precisar cadastrar esse amigo aqui e pagar uma taxa extra de titularidade compartilhada.

— Ok. Se a eficácia não passar de 100%, vocês devolvem o dinheiro da taxa?

— Não.

— Por quê?

— Porque esse dinheiro já terá sido investido em mais eficácia. Ou seja, você terá ajudado indiretamente outras pessoas.

— Aquele lance de empatia?

— Exatamente.

— Que legal! Eu sempre quis ter empatia!

— Pois é. É mais simples do que parece. Vai pagar em dinheiro ou cartão?

— Aceita cheque?

— Nem aqui, nem na China. Quer dizer, na China aceitamos, mas o cliente tem que deixar uma garantia.

— Qual garantia?

— Ele mesmo.

— Ah, tá. Aí funciona, né?

— Inadimplência zero. Mas esse sistema é muito moderno para ser usado aqui.

— Por quê?

— Aqui as pessoas são muito indisciplinadas. Não param quietas, querem andar por aí sozinhas, decidir as coisas por elas mesmas, sem monitoramento. Enfim, gente subdesenvolvida, sem empatia.

— Então vou pagar a taxa de empatia em dinheiro e o resto no cartão.

— Perfeito. Isso aqui é seu também.

— O que é isso?

— Um brinde do fabricante. Pode pregar na camisa.

— "100% ciência". Que legal! Obrigado. Vou botar agora.

— Esse broche teve 98,3% de eficácia em mesa de bar na fase de testes.

— Uau! Vou sair com ele hoje.

— Vai arrebentar, com certeza.

— Somando com 100% de eficácia do produto...

— 75,8%.

— Como assim? Você acabou de me dizer que...

— Você demorou muito a comprar. Eficácia depende de rapidez.

— Poxa... Se eu soubesse teria comprado mais rápido. Ando muito disperso.

— Fica tranquilo. Ainda é uma boa taxa de eficácia, vai por mim.

— Tá. Mas, com essa taxa, eu ainda posso usar o broche "100% ciência"?

— Claro! Em mesa de bar ninguém verifica nada.

— Mas e se eu não for direto para o bar?

— Dá no mesmo. Hoje em dia tudo é bar.

— Como assim?

— Não reparou? O mundo virou uma grande mesa de bar. E tá todo mundo bêbado. Vai com fé.

— Com fé ou com ciência?

— Dá no mesmo, bobo.

— Legal! Então... 75,8% de eficácia, né?

— Não, 50,5%.

— O quê??

— Te falei que se demorasse ia caindo...

— Droga. Me distraí de novo. Mas... 50,5%? Não é arriscado?

— Você não comprou duas?

— Comprei.

— Então é só somar: 50,5 + 50,5 = 101%. Você fez um excelente negócio.

— Maravilha! Você teria um broche "101% ciência"?

***

A popularização da ciência foi um sucesso, mas nem tudo são flores. Como você já entendeu, o mundo passou a ser preparado para chegar a 2030 limpinho, de banho tomado e com uma verdade só. Daí que esse negócio de percentuais científicos flutuando em mesa de bar tornou-se perigoso, porque bar é lugar de polêmica. E a verdade absoluta não comporta polêmica.

Dessa forma, para evitar a bagunça de referências sobre virologia, ação epidemiológica, imunização e outros conceitos que passaram a bater ponto em qualquer esquina, vamos deixar clara aqui, de uma vez por todas, a definição de ciência:

- Ciência é pegar bilhões de dólares, criar fundações lindas e sair comprando todo mundo para legalizar os propósitos torpes da sua megalomania;
- Ciência é operar o milagre de fazer a imprensa silenciar solenemente diante de centenas de atletas caindo que nem moscas na cara de todo mundo durante competições oficiais com falta de ar, dores no peito, miocardite ou infarto no ano em que se iniciou a vacinação em massa contra Covid-19. Sempre foi assim, segue o jogo;

- Ciência é a aparição sumária de laudos voadores, velozes e furiosos, após reações adversas graves ou letais em jovens, adolescentes e até crianças pós-vacina de Covid-19, "atestando" em questão de horas que a vacina é inocente e o vacinado é que não era saudável, embora todos jurassem que fosse, pelo fato de nunca terem apresentado problema de saúde na vida. A vida não é nada. Um laudo certeiro é tudo;
- Ciência é decidir que uma vacina feita às pressas, com desenvolvimento incompleto e anos de estudo pela frente proporciona mais proteção que a imunidade natural do ser humano. Ciência raiz é ver todos os estudos comprovando o contrário — que a imunidade natural do indivíduo que passou pela doença é indiscutivelmente superior à da novíssima vacina — e fingir que não viu;
- Ciência é condicionar a vida em sociedade à apresentação de um passaporte sanitário que comprova o "esquema vacinal completo" porque, ainda que essa vacina não impeça a transmissão do vírus, esquema é esquema;
- Ciência é fingir que um atleta de ponta, líder do ranking, absolutamente saudável e capaz de comprovar isso, coloca em risco a vida dos que têm o passaporte vacinal e podem entrar infectados onde quiserem;
- Ciência é banir das redes sociais uma mãe que conseguiu provar que seu filho jovem e saudável foi morto pela vacina de Covid-19 e que, a partir daí, passou a usar essas redes para buscar e disseminar maior conhecimento sobre a segurança dessa novíssima vacina. Está certíssima a ciência: procurar saber os riscos que você corre ao inocular uma substância experimental faz mal à saúde. Sumam com essa mãe;

- Ciência é se fantasiar de ético e empurrar pais para vacinarem seus filhos pequenos contra uma moléstia à qual crianças são pouco vulneráveis, como você sempre soube e repetiu. Mas a vacina se tornou urgente para crianças porque o telejornal disse isso (então é porque é) e você tem que fazer direito o seu papel de papagaio do *lobby*. O risco/benefício favorável à vacina não foi demonstrado em nenhum estudo sério, sendo necessários pelo menos cinco anos de pesquisa para descobrir o que essa vacina provocaria no sistema cardiovascular das crianças, mas isso a gente vê depois, conforme manda a ciência;
- Ciência é usar a sua credencial de juiz da infância para ameaçar arrancar os filhos dos pais que deixarem de dar uma vacina que não é obrigatória;
- Ciência é ser um médico patrocinado por empresa farmacêutica e avalizar cientificamente um produto dessa empresa. Conflito de interesses tinha sua avó. Na moderna ciência, isso se chama sinergia.

Parece surrealista? Talvez seja impressão sua. O certo é que, quando a humanidade mais precisou lutar pela sua liberdade, os homens sumiram.

Ratos de boa aparência passaram a despontar exuberantes por toda parte — cheios de palavras solidárias, empatias e éticas embelezando seus propósitos asquerosos, como é natural em todo verdadeiro rato. De que esgoto VIP saíram tantos roedores impecáveis?

De esgoto nenhum. Eles já estavam aí, circulando a céu aberto, e muitos até já mereceram a sua admiração, ou a sua amizade, ou o seu voto, ou o seu respeito. Você jamais imaginou que algum deles botaria polícia para bater em mulher na rua fingindo com isso salvar vidas; ou te fotografaria andando de bicicleta para mostrar aos linchadores sedentos que você é um pecador porque não ficou em casa.

Os ratos já estavam entre nós — e o nosso pecado foi não os perceber como tal, por trás das suas máscaras de gente.

Eles são muitos. Estão por toda parte. E quando você acha que eles já botaram toda a sua podridão para fora, eles te surpreendem com uma nova, mais podre ainda. Foi assim que a humanidade chegou ao estupro vacinal. Esse não tem paralelo na história — não em tempos de paz.

Criaram uma vacina em questão de meses e saíram vacinando. Simples assim. As incertezas sobre eficácia e segurança foram todas resolvidas com propaganda e manchetes de jornal. E censura, claro, como manda o manual do cientista roedor. Seis meses de vacinação, seis meses de agravamento da pandemia. Conclusão: a vacina é ótima e deve ser obrigatória para salvar a humanidade.

Como impor à população substâncias que ainda não estão prontas? Como exigir a inoculação em alguém de algo que ninguém sabe ainda exatamente quanto funciona e que riscos totais representa? Como tornar um experimento obrigatório?

Numa democracia, dentro do Estado de Direito, seria impossível. Não existem experimentos obrigatórios na lei — pelo menos não nas sociedades livres. Foi aí que você se enganou. Ficou contemplando a bela ideia de liberdade democrática e não viu as ratazanas em forma de gente. Para um rato, um princípio humanitário é como um pedaço de carne podre: deve ser triturado e deglutido rapidamente, antes que outro mais dentuço o faça.

Se você está chegando agora neste planeta, sente-se na poltrona do seu disco voador para não cair para trás: crianças e adolescentes, com risco de morte pela nova doença em média inferior a 0,003% (ver John Ioannidis, Stanford), entraram no experimento — com muitos anos de vida pela frente para descobrirem o que os supostos imunizantes causariam ao seu organismo, já que dessa vez a "humanidade" preferiu injetar primeiro e estudar depois. Não se sabe se teve sorte ou azar quem não precisou de anos para descobrir os problemas.

Foi aí que, em meio à barulhenta população de ratos de boa aparência — empapuçados de propaganda e arrotando ciência —, surgiram alguns poucos homens. Um deles se chama Eric Clapton. Após mais de sete décadas prestando elevados serviços à arte, ele veio salvar a dignidade.

Clapton enfrentou dormências, dores agudas e paralisias após tomar a vacina contra Covid-19 — aquela que os especialistas garantiam que era segura e valia a pena. Por uma coincidência incrível, este homem é um dos maiores guitarristas da história e a paralisia da vacina atingiu suas mãos. Talvez um desses especialistas dissesse: não se preocupe, você ainda tem a sua voz.

Mas o tipo de resposta que Clapton ouviu foi um pouco menos polido. O artista que estava simplesmente descrevendo o seu sofrimento físico após se vacinar passou a ser acusado de "politizar" a pandemia. Felizmente, já avisamos a você que estamos falando de ratos.

Um homem que não é um rato se revolta contra uma tirania quando está diante dela. Mesmo que essa tirania esteja impecavelmente fantasiada de ética humanitária. Um tirano medonho jogaria este homem na masmorra. Os ratos de boa aparência não têm essa coragem. Eles tentam matar sua vítima roendo-lhe a moral — tentando fazê-lo afundar, sucumbir, desaparecer sob um estigma paralisante como o efeito da imaculada vacina.

Eric Clapton não desapareceu. Cresceu. Agigantou-se, como sempre ocorre com um grande homem quando acuado por anões morais.

O artista respondeu ao cerco dos covardes com um hit que alcançou mais de 1,5 milhão de visualizações em menos de uma semana — intitulado *This has gotta stop* [Isto tem que parar]. "Foram longe demais. Se quiserem levar minha alma, vão ter que vir e derrubar esta porta", avisou na canção o homem que não quis, como tantos dos seus semelhantes, virar adereço de laboratório.

Eric Clapton cancelou seus shows em locais proibidos a não vacinados. Ele sabia que a vacina sequer impedia o contágio. Ele sabe o que é ética, o que é saúde e o que é fascismo. Saudações a quem tem coragem. Clapton cantou para todos ouvirem, inclusive as ratazanas da censura: "Me acostumei a ser livre."

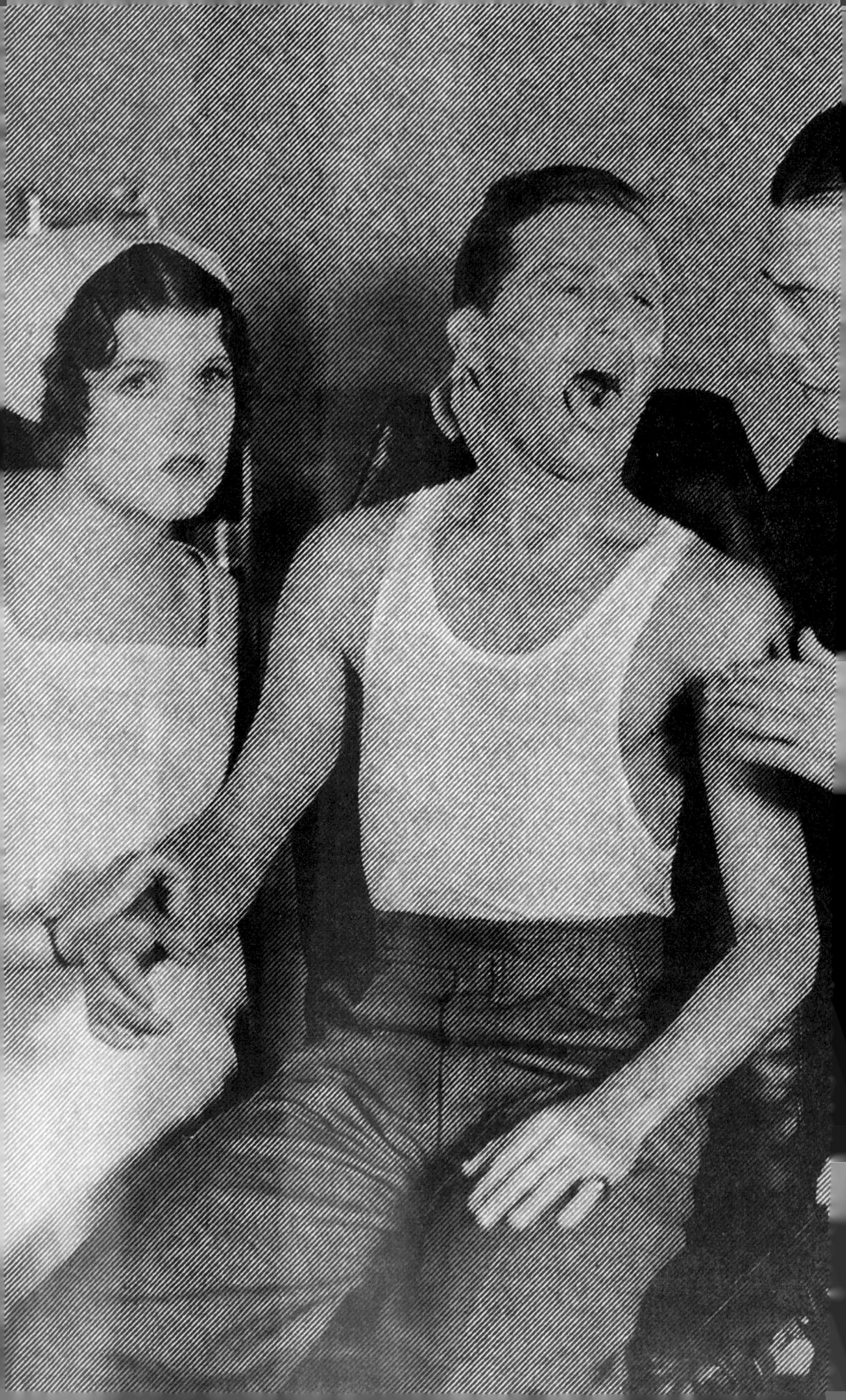

CAPÍTULO 6

A apoteose dos tolos

Manezim é um cara legal. Ninguém tem nada contra ele. Na escola, quando virou moda usar tênis sem cadarço, Manezim jogou fora os cadarços do seu tênis. Quando a moda passou, ele pediu a sua mãe um tênis novo. Foi roqueiro e ficou contra o rock'n'roll; na onda disco, virou DJ. Cortou o cabelo na *new wave*, deixou crescer quando a nova onda ficou velha, cortou de novo quando todo mundo cortou de novo, fez tatuagem, apagou tatuagem, fez de novo por cima, foi contra o BBB (alienação), foi a favor do BBB (inclusão), disse que violência não leva a nada, disse que *black bloc* quebrando tudo é revolução, praguejou contra a geração saúde e venerou churrasco de melancia.

Quando a pandemia completou um ano, Manezim afirmou que estava completando um ano sem sair de casa. Disse que estava feliz e não sentia falta de nada. Pelo Zoom ele mostrava sua empatia aos amigos quarentenados. Mostrava também seus cabelos compridos para provar que não havia ido ao salão. Na ocasião, um amigo dele apareceu no Zoom de cabelo curto e tentou explicar que foi a irmã que cortou, mas não adiantou.

Caiu em desgraça. No "call" seguinte (pronuncia-se "cóu"), a janelinha do amigo de cabelo cortado simplesmente não apareceu. Foi cancelado.

Manezim entrou em pânico. Ele topa tudo, até viver para sempre num porão mofado, menos ser cancelado. Tem pesadelos quase diários com seus coleguinhas chamando-o de negacionista e bloqueando-o nas redes. Começou a deixar uma franja por cima dos olhos para que não houvesse sombra de dúvidas. Sombra, só a da quarentena.

Nessa época, alguns amigos ricos do Manezim apareceram no Zoom meio bronzeados, o que chegou a causar certo mal-estar. Mas tudo logo foi esclarecido. Eles disseram que pegaram sol limpando suas piscinas, em gesto de empatia para com seus caseiros. Teve um que foi fotografado a bordo de um iate no Caribe, mas explicou que estava lá para salvar vidas e ficou tudo bem. O pessoal tem uma tolerância maior com alguns coleguinhas — como o do Caribe —, porque são pessoas especialmente generosas: além de muita grana, têm ótimos advogados, mandam nos jornalistas certos, arranjam oportunidades para os amigos em qualquer terreno e ainda dão as melhores festas.

Todos no Zoom aplaudiram o coleguinha generoso que foi salvar vidas no Caribe.

Manezim tem personalidade. Achava política um saco quando era para achar política um saco. Depois se tornou altamente politizado. Diz que um dos dias mais felizes da sua vida foi quando surgiu o projeto de lei obrigando fabricantes de produtos de limpeza a inscrever nas embalagens que as mulheres e os homens são iguais perante o lar. "Isso muda o mundo", pensou Manezim, valendo-se do seu cabedal filosófico de Rock in Rio.

Se deixarem ele falar no próximo "cóu", vai propor uma lei tirando do alfabeto as letras "a" e "o". Assim não haverá mais risco de os negacionistas insistirem no crime de separar, segregar e discriminar tudo entre masculino e feminino, o que não passa de uma invenção fascista para oprimir as minorias, que no fundo são a maioria, como diria Dilma Rousseff, a musa dos intelectuais.

O *lockdown* foi a glória de Manezim. Depois de comer um bom sanduba trazido pelo iFood, ele dava um passeio. Calma, passeio pela internet! Ele só saía do apartamento (com quatro máscaras) se o cara do iFood não pudesse subir. E filosofava: as entregas em domicílio são a invenção do século, tendo como único porém os entregadores. Muitos deles, para chegar até as motos do patrão, se metem em ônibus lotados, o que configura um péssimo comportamento social. Mas o Manezim não tinha nada com isso, ele já tomava conta de muita coisa.

Passando do iFood para o iPhone, lá vai ele em seu passeio digestivo pela web procurando alguém para dedurar. Sempre tem um herege ao ar livre para ser patrulhado e fuzilado pelos cliques empáticos do Manezim. Depois ele vai dormir exausto de salvar tantas vidas. A única que jamais salvará é a sua.

Com quantos Manezim se faz um período histórico reacionário? Com quantos medíocres desesperados por afetar alguma grandeza se mergulha na era da demagogia? Que tal viver num tempo em que cada passo significa um pedágio para a multidão de Manezins e seu dicionário de falsas virtudes? Como seria a vida para Eduardo e Mônica, o casal criado por Renato Russo, se tivessem se conhecido trinta anos depois?

Seria mais ou menos assim: por que Eduardo e Mônica, e não Mônica e Eduardo? Por que um compositor gay criou um casal hétero? E por aí vai. Ou não vai.

Mônica era mais culta e madura que Eduardo, na história criada por Renato. Um romance improvável, na divisa entre uma lanchonete e um filme de Godard. De fato, entre a obviedade de um hambúrguer e o hermetismo da Nouvelle Vague, a única conexão possível é a força bruta do coração. O poeta sabia bem disso e se esbaldou nos versos desencontrados que levavam a um grande encontro. Vai explicar isso pro Manezim.

"Eduardo e Mônica" pode ser uma elegia da liderança feminina, sem panfletagem. Ou não. Talvez o compositor dissesse, através de Mônica: "Que liderança, nada! Cada um na sua." Coisas da liberdade, marcas de um tempo distante?

Ficou difícil o encontro entre meditação e televisão — para usar uma das dualidades divertidas da canção. Em outras palavras: hábitos pessoais viraram credos fervorosos, separando todo mundo em falanges. Se fossem credos mesmo, ainda seria possível apelar contra a radicalização. Mas credos de mentirinha são só bandeiras. Cada nova bandeirola surgindo para exigir o "posicionamento" que trará a chance de ouro da sua desavença seguinte com o próximo. Eduardo, o que você acha da linguagem neutra?

Sei lá, Mônica. Não tinha pensado nisso. Para quem quiser falar, tudo bem. Eu ainda não aprendi.

Talvez fosse essa a resposta do garotão dos anos 1980 que encantou uma intelectual. Ela riria dele, ou melhor, riria com ele. Talvez entrassem num papo cabeça, talvez tivessem um quebra-pau. Terminariam se beijando ardentemente, ou talvez só caíssem no sono.

Na manhã seguinte, o mundo estaria intacto. Já o Eduardo e a Mônica de trinta anos depois teriam grandes chances de amanhecerem rompidos para sempre. E mutuamente bloqueados em suas redes sociais.

Afetação que não é inclusão, patrulha que não é ética, propaganda que não é saúde, segregação que não é proteção, perseguição que não é empatia, checagem que não é autenticidade, panfletagem que não é humanismo, histrionismo que não é estética, exibicionismo que não é solidariedade, estigmatização que não é crítica, chilique que não é indignação, prepotência que não é justiça, discurso que não é ação, estampa que não é alma, *slogan* que não é ciência, salvacionismo que não é redenção. O que aconteceu? Onde o mundo foi parar?

Festa estranha com gente esquisita.

* * *

Manezim e o exército de justiceiros digitais chegaram ao poder. Duvida? Então veja o que aconteceu com o jogador de vôlei Maurício Souza. Após discordar de uma representação bissexual do Super-Homem, o atleta da seleção brasileira teve seus contratos cancelados e foi expelido do mundo esportivo. À milícia do Manezim não interessa repudiar o preconceito ou processar o suposto preconceituoso. A ordem é sumir com ele.

A polêmica em torno da sexualidade do Super-Homem acendeu um alerta importante na vida moderna. A entrada da terceira década do século 21 poderia ter um aviso na porta: "Você não tem mais a menor chance de ascensão social se não jogar alguém na guilhotina — ou não contribuir de forma significativa e verificável para que isso aconteça."

Ou seja: se você é um dedicado e irretocável carreirista, desses que jamais perdeu uma oportunidade de galgar um degrau a qualquer preço, fique atento, porque a boa e velha demagogia politicamente correta já não te garante nada. Acusar alguém de homofóbico é pouco. Você precisa ir além. Pode continuar catando pretextos para afetar preocupações raciais, sexuais, ambientais etc., mas cuidado para não terminar o serviço antes da hora. Frases lindas contra o preconceito e a favor das minorias não valerão mais nada se você não conseguir prejudicar alguém com isso.

Para facilitar a atualização da sua conduta inclusiva (que inclui você nas panelas certas), siga os princípios éticos fundamentais ao alpinista moderno:

Vigie seus vizinhos obsessivamente. Assim você aumentará suas chances de flagrá-lo indo do carro até o elevador sem máscara, ou jogando um papel fora da cesta de lixo, ou comendo carne vermelha na segunda-feira. Colha sua munição para denunciá-lo. Se você conseguir expulsá-lo do condomínio por motivos idiotas, você pode até virar herói do bairro.

Fique atento ao que dizem os seus colegas de trabalho nos momentos de descontração. Você pode dar a sorte de flagrar um deles contando como foi sua dieta de emagrecimento e denunciá-lo por gordofobia. Não se esqueça de gravar a conversa.

Aí você expõe na sua rede social e diz que a empresa não pode manter no quadro de funcionários uma pessoa horrível como aquela. Uma horda de linchadores educadíssimos com certeza vai aderir ao seu chamado e algum diretor covarde da empresa com certeza demitirá o seu colega, te transformando no herói do mês.

Vasculhe o passado dos seus amigos. Você haverá de encontrar algum registro — nem que seja um bilhete — com algum tipo de manifestação gravíssima para os padrões contemporâneos, tipo "virei a noite e fui para o trabalho que nem um zumbi" (você pode transformar isso em declaração racista) ou então "cheguei em casa bêbado que nem um gambá" (você pode denunciar seu amigo por preconceito contra os gambás, desafiando-o a provar que esse animal gracioso e inofensivo para as mudanças climáticas tenha hábitos alcoólicos).

Só descanse quando tiver espalhado geral que esse amigo querido por tanta gente era na verdade um ser abjeto, ou seja, só considere a sua missão cumprida quando ele não tiver mais ninguém na vida. *Yes!*

Reserve pelo menos meia hora diária antes de dormir para bisbilhotar pessoas públicas e o que elas andaram dizendo (bisbilhotar relaxa). Nesse território está a sua mega-sena. E lembre-se: quem procura, acha.

Você pode alegar que há uma multidão nesse garimpo e não é muito provável que você, logo você, vá encontrar a pepita de ouro. Engano seu. Hoje em dia tem ouro para todo mundo. Basta ter paciência e não desanimar na primeira esquina do Facebook.

"Fulana está linda." Pronto! Se essa frase tiver sido postada, por exemplo, por um companheiro de time do Maurício Souza, você já sabe o caminho: avisa correndo à Fiat e à Gerdau que o meliante misógino foi pego em flagrante de assédio sexual e moral, portanto não merece mais viver em sociedade. Se for da seleção, conta logo ao Renan também, que ele desconvoca na hora. Fim de papo. Mais um CPF cancelado. Ai, que delícia de linchamento!

Por questão de ética, não vamos te esconder a verdade: um dia o linchado pode ser você. Quando isso acontecer, não hesite: bata o pé, esperneie e chore bem alto. Com um pouco de sorte, mamãe te escuta e te salva desse mundo mau.

Em meio a tantas lições de vida instantâneas e tanta vigilância sobre éticas implacáveis de 1,99, é urgente formular um conjunto de questões realmente filosóficas que precisam ser respondidas para que o mundo possa continuar girando:

Quando o Super-Homem voou na contramão da rotação da Terra ele já era um transgressor?

De quanto é a multa para quem é flagrado voando na contramão?

Se essa infração acarretar uma inversão da marcha do tempo sem sinalização de pisca-alerta, a licença do infrator pode ser cassada?

É verdade que o Super-Homem teria dito: "A criptonita é minha e eu voo na direção que eu quiser"?

Se disse isso mesmo poderia ser detido por desacato?

Está correta a tese de que o "S" estampado no peito do herói é um código para "sou mais eu"?

Um sujeito que tem capa e voa deveria ter sua convivência permitida com os que só se deslocam com os pés no chão ou o certo seria permitir que ele interagisse apenas com outros indivíduos que têm capas e voam?

A criptonita é a mãe da criptomoeda?

Se o Super-Homem fez a humanidade voltar no tempo, ele é:

um conservador;
um progressista;
um nostálgico;
um subversivo;
um reacionário.

Por despertar tantos debates ideológicos, não seria o caso de ressignificar o lendário e imponente "S" peitoral como designação de "sociologia"?

Responder (certo) a todas as questões acima é fundamental para que o mundo não pare de girar e a humanidade não seja obrigada a implorar ao Super-Homem que volte a usar a sua força bruta para fazer o planeta pegar no tranco.

CAPÍTULO 7

Operação Lava Lula

O império da demagogia faz milagres. Basta recitar a cartilha certa e o mundo se ajoelha para você — esmagando os que não recitaram, naturalmente. Foi comovente ver o Supremo Tribunal Federal declarar lealdade à "Agenda 2030" depois de reabilitar politicamente o criminoso Luís Inácio da Silva. Parece que o mundo é mesmo dos espertos.

Em 2030, não haverá mais rancor. Como disse um famoso criminalista fã de Lula — o ex-presidente da República que foi condenado a mais de vinte anos de prisão por corrupção passiva e lavagem de dinheiro —, se o crime já foi cometido mesmo, de que adianta punir?

A reabilitação do ex-presidiário a tempo de disputar a eleição presidencial deixou o mundo do crime mais leve. Não pense que é fácil você passar anos da sua vida assaltando e depois não ter paz para desfrutar tudo que você conquistou com o suor alheio. O STF resolveu essa injustiça e muita gente que estava vivendo nessa insegurança jurídica — na dúvida se precisa ou não continuar fugindo da polícia — resolveu a sua vida também.

O ex-ministro Guido Mantega, por exemplo, obteve um bom *upgrade* com a turma do Gilmar Mendes — uma turma que não entra em briga para perder. Mantega não foi ministro do sítio de Lula, mas foi ministro da Fazenda de Lula, o que não é pouco. Tomar conta do cofre num governo que virou quadrilha dá trabalho. E ele ainda continuou por lá com Dilma, aquela que caiu por pedalar — ou seja, por transformar contabilidade fiscal em ficção científica. Imagina a trabalheira que esse pobre ministro não teve.

Gilmar foi compreensivo e passou uma borracha nisso tudo. Ou ao menos em parte disso. O recurso usado foi aquele mesmo que consagrou Lula como o ladrão mais honesto do país: afirmar que a tramoia foi julgada pelo juiz errado. É uma tecnologia fantástica, que economiza um trabalhão para ficar negando crimes flagrantes que todo mundo viu. Isso é muito desgastante, mas acabou. Nem é mais preciso falar de crime. Basta falar de "competência" — e *plim*, a dor de cabeça some.

A "competência" do juízo que condenou Lula já tinha sido confirmada até em tribunal superior. Mas isso não é nada diante da vontade de ajudar os homens de bens. E a sociedade já estava meio aparvalhada mesmo com a normalização da pancada em quem anda na rua, com a assimilação do toque de recolher ditatorial como gesto de "empatia" e com a onda de tarados querendo transformar em cidadão de segunda classe quem não tomasse aquela poção mágica feita em tempo recorde. O que é uma doce hipnose jurídica diante disso tudo?

Alvo da Operação Pentiti da Lava Jato, Mantega foi iluminado pelo farol de Gilmar e sua turma, que enxergaram imediatamente problemas de "competência" na investigação do ex-ministro. E lá se foi outro processo para gavetas bem mais competentes.

A tese é aquela: a vara de Curitiba só pode julgar delitos relativos à Petrobras. Como você e todo mundo sabe, a Petrobras era só o centro de um sistema de corrupção montado no Palácio do Planalto e executado em escala nacional (e internacional). Mas um togado com vontade férrea pode até dizer que o roubo do pré-sal só pode ser julgado em vara submarina. Eles descobriram que competência territorial é um poder extraterreno.

O ex-ministro de Lula era acusado, entre outras coisas, de ordenhar os arquivos de contratos da Petrobras para preparar pedidos de propina aos fornecedores. O STF está certíssimo: fornecedor da Petrobras não tem nada a ver com Petrobras. Cada um na sua — e a propina na minha, que ninguém é de ferro.

Fica combinado assim: quem tiver sido pego com dinheiro roubado na cueca deve pedir imediatamente ao STF a averiguação de competência judicial. O meliante que está sendo investigado na área de jurisdição do flagrante pode pedir a suspensão do processo porque o roubo foi em outra localidade. Questão de competência.

Mas se o roubo tiver ocorrido desgraçadamente na mesma localidade do flagrante, não é o caso de perder a esperança: o dinheiro estava na cueca, portanto a cueca é o local do crime. Se ela for importada, o juiz natural do processo não pode estar no Brasil. Direito é criatividade e simplicidade. Qualquer um entende.

O que ninguém entendeu foi quando Gilmar Mendes começou a chorar.

— Por que o Gilmar tá chorando?
— Por causa do advogado do Lula.
— O que ele fez? Bateu no Gilmar?
— Não.

— Jogou areia no olho do Gilmar?

— Não.

— Amarrotou a toga do Gilmar?

— Não. Quer dizer, não sei. Mas não é por isso que ele tá chorando.

— Então é por quê? O advogado do Lula disse que o STF é uma vergonha?

— Não, o advogado do Lula não acha que o STF é uma vergonha.

— Então o que aconteceu? Ele xingou o Gilmar?

— Não. O Gilmar tá chorando de emoção.

— Ah, tá. É, deve ser emocionante mesmo trabalhar na Suprema Corte.

— Ele não tá chorando por causa do trabalho dele.

— Não?

— Não. Tá chorando por causa do trabalho do advogado do Lula.

— Como assim?

— O Gilmar ficou encantado com a atuação do advogado do Lula. Começou a fazer elogios a ele e caiu no choro.

— Caramba. E filmaram isso sem ele ver?

— Não, foi em público mesmo.

— Em público?!

— É.

— Ele tava dando uma palestra?

— Não. Ele tava numa sessão do STF.

— O quê?! O Gilmar elogiou o advogado do Lula no meio de uma sessão do STF??

— Sim. No meio de uma sessão do STF que deliberava sobre um processo de interesse da defesa do Lula.

— E ele chorou de emoção enaltecendo o advogado do réu?

— Do réu condenado.

— Você acha isso normal?

— Acho.

— Por quê?

— Porque o advogado do Lula realmente conseguiu um milagre. E diante de um milagre é difícil segurar a emoção.

— Que milagre?

— O cliente dele roubou um país inteiro e isso vai ficar de graça.

— É. Milagre mesmo. Já sabem qual foi o santo?

— Lula.

— Não, perguntei de quem foi o milagre pra santificar o Lula.

— Parece que foi um milagre coletivo.

— Autores desconhecidos?

— Não. Bem conhecidos.

— Você pode citar algum?

— Claro. Gilmar.

— Hein? O Gilmar está comovido com o milagre que ele mesmo fez?

— Qual é o problema? Ele fez o milagre, gostou, se emocionou e chorou. É um direito dele. Afinal de contas, é um ser humano.

— Verdade. Bem lembrado.

— Inclusive ele já tinha chorado antes com o cara do MST.

— Milagre também?

— Não. Era uma *live* em defesa da democracia.

— Não deixa de ser um milagre se juntar com um cara violento em nome da democracia e ainda conseguir chorar.

— Chorar não é tão difícil assim.

— Quando fiz teatro amador, eu nunca conseguia.

— Mas quem tá falando de amador?

— Verdade. Ali só tem profissional.

— Claro. Ninguém ganha uma toga e uma varinha de condão se não souber chorar.

— Sem dúvida. Mas não é um pouco suspeito um juiz chorar elogiando o advogado do ladrão?

— Não. Suspeito é o juiz que condenou o ladrão.

Sejam quais forem as suspeições, duas coisas não podem ser auditáveis de jeito nenhum no Brasil: voto e pesquisa eleitoral. Se começarem com essa mania de auditar tudo, os prejuízos podem ser imensos. O emocionante movimento de resgate do bom ladrão, por exemplo, estaria seriamente ameaçado.

Após a *descondenação*, as pesquisas entraram em festa. Lula reapareceu disparado no coração do povo que ele roubou, traiu e humilhou — porque todo mundo sabe que brasileiro é masoquista e acha que vale a pena ver de novo a cara da desgraça.

A maior recessão da história até a pandemia foi provocada por um coquetel sublime de demagogia populista, incompetência e ladroagem — mas a elite perfumada que faz as pesquisas eleitorais (e interpreta a vontade do povo) acha que foi pouco. Trauma é só para quem perde o emprego e a certeza de que vai comer amanhã.

Não há tempo a perder com esses traumatizados, que não percebem a beleza de um reencontro entre FHC e Lula, numa espécie de lavanderia sociológica de reputação. A elite perfumada e de ótimos modos se vacinou contra o remorso. Pra frente é que se olha. E o que os olhos não veem, o coração não sente — nem facada nas costas da população.

Num ato único e límpido, FHC assinou embaixo do maior assalto da história. Na foto com o bom ladrão, ele estava de máscara, porque mostrar a cara numa hora dessas também já seria demais.

Lula chegou a 800% das intenções de voto e as pesquisas constatavam cientificamente: se as eleições fossem hoje as urnas explodiriam de tanto amor. Era por isso que o companheiro Barroso não queria o voto auditável. Ia dar muito trabalho contar quase 1 bilhão de votos. Melhor deixar quieto.

O homem de 1 bilhão de votos que não pode andar na rua não tem medo de ovos e tomates. Tem empatia. Porque os princípios de segurança sanitária são claros: se você roubou o povo e todo mundo viu, fique em casa.

O certo seria fique na cela. Mas isso é para quem não tem os amigos certos. Está aí outra virtude do Lula que o fez disparar nas pesquisas: é bem relacionado. Mas não fique achando que isso é uma referência àquela turma braba dele — Bumlai, Vaccari, Delúbio, Cerveró, Duque, Erenice, Rosemary, Gedimar, Valdebran, Valdomiro, Valério, Suassuna, Odebrecht, O da Brecha, O da Broca, O da Truta, O da Mala, O do Dólar, O do Euro e grande elenco. Acabou isso.

O ressurgimento de Lula no topo das pesquisas se deveu às suas novas relações. E a foto histórica com FHC mostra que ele mudou de turma. Esquece política. FHC ali foi só um *outdoor* — a lavagem sociológica, como já referido. Em sua nova turma, Lula mudou de patente. Os críticos ficaram enguiçados no repúdio aos "vermelhos", aos "esquerdistas", aos "petistas" etc. Distraídos! Lula virou a cartada do clube dos ricos. Esses que passaram a quebrar as pernas da democracia mundo afora com cara de éticos, empáticos e toda essa cartilha caprichada de falsas virtudes.

Esquece cartel de empreiteiros e selvageria associada. Os ex-sócios de Lula são mendigos perto dos impecáveis androides do clube da felicidade 2030, com seus nerds bilionários e seus prepostos do capitalismo pirata chinês.

Claro que milhões de pessoas nas ruas num Primeiro de Maio pedindo eleições limpas e voto auditável não apareceram nas páginas e nas telas dos veículos que mostravam a eleição antecipada de Lula. Eles são o consórcio da verdade pré-datada. Inauditável.

***

Como terá sido a conversa de reaproximação de Lula e FHC? Segue o possível diálogo (na margem de erro do Instituto DataVenia):

— Obrigado, Fernando.

— Por quê?

— Por você ter dito que vai votar em mim.

— Eu disse isso?

— Ué, foi o que eu li por aí. Será que era *fake news*?

— Acho que não. Eu disse mesmo. Quer dizer, não foi bem isso que eu disse.

— Porra, Fernando. Assim você me confunde. Tá comigo ou não tá?

— Não vem com essas perguntas de programa de auditório. O mundo é mais complexo que isso.

— Complexo é coisa de boiola. Opa, desculpe. Não pode mais falar isso. Enfim... Complexo é coisa de fresco.

— Você mudou uma palavra, mas manteve o seu preconceito intacto.

— Caceta, Fernando. Como é difícil conversar contigo. Conto ou não conto com o seu voto?

— O voto é secreto.

— Mas você disse publicamente que votaria em mim!

— O que sai na imprensa mais de um ano antes da eleição é uma coisa, o que se faz na solidão da urna é outra.

— Então você falou por falar?!

— Claro que não. Nunca falo por falar.

— Que saco. Na próxima encarnação, em vez de parasita eu vou vir traça. Pra comer todos os seus livros e te salvar desse rebolado intelectual que ninguém entende.

— Você devia ler mais.

— Deus me livre. Pra falar errado que nem você?

— O que eu falei errado?

— Quem fala o que ninguém entende, fala errado.

— Só não me entende quem não lê.

— Se você me despreza, por que disse que vai votar em mim?

— Porque, pra um intelectual, pega bem defender uma besta como você.

— Ah, então você confirma que vai votar em mim. Pelo menos isso.

— Se for contra esse presidente aí, sim.

— Obrigado. Você acha que eu sou melhor que ele, né?

— Não. Acho que você é mimado pela imprensa e pela intelectualidade que me deixam bem na foto.

— Faz sentido. Uma mão lava a outra. Se bem que no meu caso, com tudo que eu roubei, é mais provável uma mão sujar a outra.

— Jamais repita isso.

— Ué, parceiro? Quer apoiar ladrão e ficar com a mão limpinha? Você tem uma biografia ou uma lavanderia?

— Lula, você sempre foi grosseiro. Mas o seu linguajar agora está abaixo da crítica. Assim vai ser difícil continuar a conversa.

— Que isso, Fernando? Só falei o que todo mundo sabe.

— Engano seu. Há um esforço gigantesco unindo jornalistas, professores, juízes e muita gente boa para ressuscitar em você aquela cantilena do proletário perseguido pelas elites e você me vem com essa história de ladrão. Meça suas palavras.

— Tá bom, você tem razão. Não falo mais de assalto. Não está mais aqui quem roubou. Mas o dinheiro não preciso devolver, né? Porque aí já seria demais.

— Vou fingir que não ouvi.

— Combinado. Vou fingir que não roubei. Mas... E se não colar?

— A epistemologia do nexo causal à luz da imanência do ser ou não ser venal refrata uma miríade de representações da coisa em si, do seu simulacro e do seu espectro projetado ao infinito de modo que, a partir do olhar multimodal embotado pelo distanciamento odebrechtiano, tudo cola.

— Você é um gênio, Fernando.

— São seus olhos, Lula.

CAPÍTULO 8

Golpistas são os outros

No dia 7 de setembro de 2021, uma manifestação levou milhões de pessoas às ruas do Brasil de norte a sul. Foi um ato cívico por liberdade. Entre as principais motivações dos manifestantes estavam o repúdio a atitudes consideradas autoritárias por parte do Supremo Tribunal Federal (incluindo ações de cerceamento nas redes sociais) e as medidas ditatoriais tomadas por governadores e prefeitos com o pretexto de segurança sanitária. O presidente Jair Bolsonaro era identificado como oponente dessas duas formas de autoritarismo por grande parte dos manifestantes, que vestiram verde e amarelo no Dia da Independência.

Os veículos tradicionais de mídia tentaram classificar essa manifestação cívica, que se estendeu praticamente por todo o território nacional de forma pacífica, como "ato antidemocrático". Foi, sem dúvida alguma, a apoteose do cinismo na imprensa nacional.

É preciso entender que por mais que haja uma claque bem organizada e disposta a ecoar uma falsidade, nem sempre dá para dissimular a pegadinha intelectual. Por outro lado, vale assinalar que muita gente, em todo o espectro da sociedade, passou a se alimentar dessa guerrinha retórica. De tudo quanto é lado passou a surgir gente excitada com essa demarcação tribal.

Tudo de bom que existe está associado à minha tribo. A sua tribo contém todo o mal. É exatamente como as guerras carnavalescas entre torcedores de futebol. As minhas cores são melhores que as suas. Futebol pelo menos diverte.

Mas também dá briga feia. E a escalada da violência irracional entre torcidas organizadas de clubes é, miseravelmente, a metáfora perfeita da suposta cisão política da sociedade brasileira contemporânea. Existe mesmo essa cisão?

A ideia de um país dividido entre direita e esquerda é um tanto primária. Basta dizer que muitos dos que viviam matraqueando um ideário de direita, citando filósofos "conservadores" e falando pelos cotovelos sobre as maravilhas da sua tribo ideológica, viraram abóbora. No que ascendeu um governo alinhado com a maior parte dos supostos valores desses orgulhosíssimos "direitistas", eles não quiseram mais brincar.

Surgiram então dissidências patéticas — e absolutamente inexplicáveis numa conversa séria. Liberaloides e intelectualoides do conservadorismo ou que nome lá isso tenha passaram a fazer cara de nojo para tudo. Inclusive para reformas que eles mesmos viviam pregando como salto de modernidade. De repente, nada mais servia, nem uma vírgula do ministro Paulo Guedes estava mais em conformidade com seus belíssimos edifícios ideológicos liberais.

Houve também os "direitistas" que continuaram bolsonaristas depois da posse. Mas quando o governo venceu as primeiras resistências e passou a aprovar medidas importantes como a Lei de Liberdade Econômica e a Reforma da Previdência, eles se jogaram na oposição e passaram a metralhar tudo que viesse do governo. Doutrina sólida, essa.

Aí a "direita" que se manteve governista passou a disputar com a "direita" que virou oposição furiosa a quem é direitista de verdade. Parecia Lula e Brizola disputando quem era o verdadeiro socialista (sendo dois populistas parasitários). E os tucanos ali no meio dando um passinho para a direita quando era para ser antipetista e um passinho para a esquerda quando era para ser antibolsonarista. Ridículo.

"Direitistas" se sentem triunfantes ao xingar alguém de "esquerdista" e vice-versa, num jogo tosco que só interessa a quem joga. Investir numa cisão alegórica, infelizmente, faz a cama de muita gente. É o mercado tribal — que rende audiência, grana e, para quem é do ramo, voto.

Aí o "direitista" que era bolsonarista e saiu do armário se juntou aos seus arquirrivais "esquerdistas" (que bela rivalidade) para dizer que o povo na rua no 7 de setembro era golpe — delírio este alimentado pelos que vestem verde e amarelo dizendo que o verdadeiro patriotismo é "da direita". Ao fundo, burgueses ricos e empapuçados de capitalismo passavam seu perfume socialista e sua maquiagem esquerdista para poder perseguir, censurar e montar sua democracia particular dizendo que golpistas são os outros.

Surfando nesse tribalismo indigente, o STF não perdeu a oportunidade de criar suas alegorias judiciais para engrossar a tese do 7 de setembro antidemocrático. Com o já conhecido expediente de juntar diligências para montar uma tese, a corte suprema saiu atrás de "bolsonaristas" supostamente engajados num plano para atentar contra as instituições no Dia da Independência etc. A politicagem no Brasil já foi mais sofisticada.

Para se ter uma ideia do nível a que a coisa chegou, um ano antes das eleições presidenciais de 2022 o ministro Dias Toffoli, do STF, resolveu afirmar em Portugal que o Brasil vivia um regime de semipresidencialismo. Em outros tempos, uma declaração dessas, ainda mais dada fora do país, seria considerada uma sinalização golpista, ou no mínimo uma afronta ao equilíbrio entre os poderes da República.

Mas como nada de importante aconteceu e os guardiões constitucionais não interpelaram o ministro, talvez tenha se dado ali a decretação tácita do tal regime semipresidencialista com poder moderador judiciário. E já que ninguém explicou legalmente como isso funciona, fica aqui uma sugestão de rascunho:

No regime semipresidencialista, o presidente deve trabalhar meio expediente. Essa é uma das garantias de que não esteja exercendo, na prática, o presidencialismo pleno. Depois do almoço, o presidente não mandará nada e estará proibido de dar entrevistas sobre assuntos presidenciais. Se quiser falar de assuntos semipresidenciais, tudo bem;

No semipresidencialismo, o presidente deve ocupar metade do palácio. A outra metade fica liberada e disponível para qualquer ocupação que não seja presidencialista. É permitida a sublocação para Organizações Não Governamentais (ONGs);

Seguindo as diretrizes da configuração hemisférica do regime, o governo só pode ser sabotado pelo STF nos dias pares. Os ministros podem fazer suas *lives* normalmente nos dias ímpares, mas como fazer live sem falar mal do governo não tem graça, recomenda-se que fiquem de folga;

A imprensa pode plantar intrigas contra o governo dia sim, dia não. O semipresidencialismo é para todos;

O presidente só pode escolher errado metade dos ministros da Saúde que colocar no cargo;

Os problemas em metade da Amazônia são culpa do governo (o STF escolhe a metade). Na outra metade, não é culpa de ninguém, porque a graça é detonar o presidente;

Também para as indicações ao STF, o presidente só pode escolher mal em 50% das tentativas;

Pelas regras do semipresidencialismo, o Congresso só pode chantagear o governo segundas, quartas e sextas. Como os parlamentares não trabalham segunda e sexta, fica eleita a quarta-feira como o dia oficial da chantagem ao Poder Executivo. Para não engarrafar a pauta, as chantagens podem ser feitas de forma remota ou presencial, com ação individual ou de bancada. Os nobres deputados e senadores devem ficar atentos ao fato de que, no semipresidencialismo, o orçamento também é semi. Nada que não se resolva mirando no dobro. É o parlamentarismo *Black Friday*;

Por falar em mira, de acordo com o novo regime, o presidente deve disciplinar suas caneladas: ou da cintura para baixo, ou da cintura para cima;

No semipresidencialismo, o seu voto vale meio (não é preciso um voto inteiro para eleger um semipresidente). Há uma série de vantagens nisso. Por exemplo: se você se decepcionar, pode dizer que votou na metade que não foi eleita.

Que ninguém mais sofra em Portugal por falta de base legal para as ideias supremas. Aí estão os princípios basilares para a formalização do semipresidencialismo, caso venha a ser necessário transformá-lo em lei. Mas que ninguém se preocupe com rigores excessivos, que não fazem bem a ninguém. Na semidemocracia, cada um cumpre o que lhe der na telha.

Exercer o poder por meio de bravatas é uma das maravilhas da modernidade. Chega daquela coisa antiga de seguir regras institucionais ao pé da letra. A *live* é a lei. Foi nesse ambiente fértil e despojado que o Tribunal Superior Eleitoral resolveu manifestar hostilidade à rede social Telegram. No império da bravata, liberdade de expressão se controla no grito.

Segundo o então presidente do TSE, Luís Roberto Barroso, o Telegram era utilizado para a propagação de informações falsas e teorias da conspiração. O TSE disse ter "parcerias" com as principais plataformas de internet para o controle de conteúdo indesejável e avisou que não admitia exceções. O TSE e seu presidente devem ter achado que estavam numa colônia da ditadura chinesa.

A tentação de banir o Telegram do país só pode vicejar em mentes que tenham perdido por completo os referenciais de democracia. Que confiem demais na retórica indigente do suposto combate a "*fake news*", "onda de ódio" etc., para embargar e suprimir o que der na telha, fazendo política a céu aberto com esse disfarce mal-ajambrado.

Vamos contribuir com essa utopia reacionária: por que não banir também o WhatsApp? Ali circula de tudo — até informação falsa extraída do perfil do próprio TSE, alegando que o projeto da instituição do voto auditável significaria o retorno a cédulas de papel. É ou não é terrível um ambiente suscetível a desinformações desse tipo?

Proíbam o Telegram e o WhatsApp. Mas não só eles. Há uma praça numa grande cidade brasileira onde pessoas se reúnem para dizer que o assalto à Petrobras não existiu e todos os bilhões de reais devolvidos foram apenas uma caridade dos ladrões. Por essa praça passam milhares e milhares de pessoas todos os dias — um contingente expressivo de cidadãos permanentemente expostos a disparates desse tipo.

A patrulha da verdade não vai interditar essa praça?

Mas o problema não termina aí. Algum tempo atrás, falou-se muito de um cidadão que trazia ideias estranhas — e nesses casos todo cuidado é pouco. Seu nome era Graham Bell. Como não foi detido a tempo, ele deixou por aí um aparelho perigoso, que tornava a comunicação muito mais rápida que as cartas levadas de navio ou em lombo de burro. Resultado: passou a ser possível a uma única pessoa passar trotes rapidamente para diversas outras — afirmando, por exemplo, e jurando de pés juntos, que o sistema das urnas eletrônicas no Brasil é invulnerável.

Como transigir com um risco de desinformação desta monta?

As "parcerias" que o TSE disse ter firmado com as principais plataformas de internet, todos sabem de que tipo são — e elas se estendem a toda uma rede de zeladores da verdade celestial. Com o auxílio das milícias checadoras, o braço armado do gabinete do amor, operaram o banimento, por exemplo, de uma mãe que perdeu o filho jovem com um AVC pós-vacina de Covid-19.

Essa mãe contratou uma investigação clínica que atestou a causalidade, reconhecida pela autoridade de saúde do seu estado, no processo que levou à morte seu filho saudável de 28 anos, Bruno Oscar Graf. Ela passou então a usar as redes para tentar ampliar o conhecimento sobre os efeitos adversos das vacinas. Foi banida.

É assim a nova utopia reacionária: você pode usar uma premissa de depuração para escolher quais verdades deixará circular. O Telegram se expandiu com um mundo de informações e dados de todos os tipos — ciência, filosofia, arte, política — e com toda a escala de precisão/imprecisão, confiabilidade/suspeição, boa-fé/má-fé que caracteriza qualquer ambiente livre. Para os delitos, existem as leis. Para os reacionários, não existe remédio.

E foi assim que o "consórcio da imprensa", as plataformas de rede social, as agências de checagem e todo o gabinete do amor decidiram sair cortando cabeças para o seu bem. Essa gente empática e democrática resolveu purificar a atmosfera intelectual permitindo só a circulação das palavras certas, das ideias certas e das opiniões certas.

A última notícia de um esforço de purificação tão resoluto na história da humanidade se deu quase um século atrás na Europa — quando um purificador abnegado colocou o mundo no caminho da Segunda Guerra Mundial.

O grande purificador acabou perdendo a guerra. E aí sobreveio um mundo cheio de contrastes, complexidades, convivência múltipla de ideias, enfim, uma bagunça. Nenhum purificador de verdade tolera viver num ambiente tão volúvel, onde cada um se expressa de um jeito. Não dá.

Era preciso organizar esse caos para vocês pararem de graça e aprenderem de uma vez por todas que a função da mente humana é repetir o que uma mente superior mandou. Que mente superior? Cala a boca que ninguém te perguntou nada.

Chega de controvérsia. Para não haver mais sofrimento, o melhor é passar a falar e escrever só as coisas certas, para não dar trabalho aos purificadores — exaustos de tanto banir, ceifar, suprimir, apagar, apagar de novo (essa gente impura é insistente), suspender, advertir, ameaçar, embargar e censurar (no bom sentido).

Segue então uma lista de verdades universais que você pode usar sem medo na internet, no trabalho, na escola, na rua, na praia ou preferencialmente em casa, se todos esses outros lugares estiverem proibidos para você. Chega de polêmica, falsidade e ódio. Vamos ser felizes repetindo só as coisas certas:

As vacinas de Covid-19 foram uma revolução da ciência;

As vacinas de Covid-19 já nasceram seguras e eficazes, graças aos vários anos de estudos que couberam em poucos meses porque o tempo é uma ilusão;

A falta de estudos conclusivos sobre substâncias experimentais não tem o menor problema, porque eu vi na televisão que está tudo bem, então é porque está tudo bem;

Ninguém sabia os percentuais de efeitos adversos das vacinas porque elas foram testadas na população, em massa, sem controle dos efeitos no universo total de vacinados. Mas isso não tem o menor problema, porque vacina boa é vacina no braço;

A imprensa foi vista escrevendo que "fulano pegou Covid-19 depois de imunizado" porque esse é um novo conceito de imunização, segundo o qual o que realmente imuniza não é o que sai da agulha, mas o que sai do teclado;

As autoridades de São Paulo e do Rio de Janeiro disputaram para ver quem começava primeiro a vacinar crianças e adolescentes, porque o risco que a Covid-19 representava para as crianças e os adolescentes era muito menor do que a vontade desses heróis de aparecer na TV anunciando vacina para crianças e adolescentes;

Os estudos inconclusos de miocardite em jovens e adolescentes após a vacinação nunca foi problema para as autoridades vacineiras, porque o importante, como já explicado, era aparecer na TV dizendo que estava vacinando geral e correr pro abraço;

As consequências a curto, médio e longo prazos para o sistema cardiovascular dos adolescentes é problema deles. Adolescente já é cheio de problema mesmo, então não muda nada. Quanto às crianças, vale a regra universal: se reclamar, dá um sorvete e bota na frente da televisão que a manha passa;

Você pode ter uma trombose, uma neuropatia ou uma doença autoimune atravessando a rua, então não tem por que não se vacinar com vacinas experimentais;

As vacinas foram aplicadas para livrar a humanidade da pandemia. O fato de que os primeiros seis meses de vacinação coincidiram com um agravamento da pandemia no mundo inteiro é um detalhe. O fato de que países quase totalmente vacinados, como Israel, continuaram com índices expressivos de internação hospitalar por Covid-19 (incluindo pacientes totalmente vacinados) é outro detalhe. As pessoas que negam a ciência têm mania de se prender a questões impertinentes e enjoativas porque não têm empatia, nem lugar de fala, nem lugar na fila, nem nunca estiveram no pombal do Zoom com um monte de cabecinhas repetindo o que é certo repetir.

Pronto. Está feito o bem. Só afirmamos coisas que os purificadores dizem que são certas. E liberamos as patrulhas e guilhotinas para ceifar outros pecadores. Viva a pureza.

CAPÍTULO 9

Habeas cínicus

O noticiário anunciava nuvens negras sobre o Planalto. Movimentos bruscos em cargos importantes, cabeças rolando, turbulência ministerial, pastas militares envolvidas, cheiro de pólvora, instabilidade, crise. O mercado respondeu com uma alta forte na Bolsa de Valores. Não respeitam nem mais as crises neste país.

Um jornal chegou a escrever que era a maior crise militar "em quase 45 anos". Você passou a ter que ler jornal com uma calculadora do lado — além do lenço para enxugar as lágrimas de tanto rir (para não chorar). Detector de mentiras para manchetes inventivas ainda não inventaram, mas tem os checadores — e quando eles aparecem você já sabe que há algum assunto importante sobre o qual alguém quer esconder alguma coisa.

Fake news! Eles gritam mesmo, porque patrulha fascista trabalha com intimidação.

Claro que "a maior crise militar em quase 45 anos" não tomou carimbo de "desinformação" dos senhores da

verdade, porque mentira boa é mentira amiga. Se servir para fermentar crise de proveta contra o fascismo imaginário, está valendo. Também não vamos gastar o seu tempo aqui com "a maior crise militar em quase 45 anos". Apenas vamos lembrar ao estagiário da resistência cenográfica que a bomba no Riocentro explodiu "quase" quarenta anos antes dessa manchete criativa.

Checamos: a troca de um ministro da Defesa em 2021 foi mais explosiva que a bomba que matou um sargento e levou a duas décadas de investigações sobre um suposto atentado dentro do regime militar. Ou seja: se faltar crise no Brasil, não será por falta de vontade dos especialistas.

Trocaram os sinais da democracia. Ela foi para o paredão diante de um pelotão de gente boa, harmoniosa, empática, humanitária e fofa tentando chutar o pau da barraca dia e noite por pura distração ou tédio, já que as intenções são sempre sagradas. E isso não foi, no Brasil, privilégio do período Bolsonaro. Ainda na gestão Temer já havia essa gente educada e inteligente fazendo cara de nojo para as reformas fiscais, trabalhista e previdenciária porque... Adivinha por quê?

Porque não era o momento, porque não tinha clima, porque o Temer parecia um mordomo etc. Ou seja: porque só vale consertar o país se for pelas mãos dos meus amiguinhos.

Bolsonaro poderia ser uma aventura arriscada, até pela trajetória eventualmente caricata, e requeria olho vivo. Assumiu e compôs uma equipe de governo observando critérios técnicos numa medida pouco comum no Brasil. Fisiologismo e apadrinhamento não foram a guia para a montagem do primeiro escalão. Apresentou a agenda de reformas que o Brasil sério e não parasitário pedia. Propôs e negociou com êxito a reforma da Previdência no parlamento. E daí?

A resistência cenográfica não estava interessada em nada disso. E não era só para remover Bolsonaro, como já exemplificamos mencionando o período Temer. E não era só o petismo, o sindicalismo, o esquerdismo ou outra caricatura dessas que os distraídos vivem atacando. Era boa parte da elite nacional que investe de forma esganada em clubes particulares de poder — e para esse tipo de plano a democracia é uma tragédia.

Essa gente asquerosa fantasiada de empática passou a falar em golpe militar no dia 10 de janeiro de 2019 e não parou mais. Uma ideia fixa. Uma tara. Fascismo, ditadura... Qualquer coisa menos democracia. Não se conformam com a democracia. "Denunciaram" suásticas, farejam a sigla AI-5 em tudo quanto é fala; e não interessa que o presidente da República tenha repudiado de pronto qualquer tentação desse tipo, declarando-se um escravo da Constituição.

Fingiram que não viram, assim como fingem que não veem o STF fazendo política à revelia da Constituição.

Articulistas fanfarrões puderam pregar a morte do presidente e até golpe de estado sem qualquer ameaça do governo à sua liberdade de expressão. Ditadura estranha, essa. Jornais perpetraram editoriais histéricos denunciando um autoritarismo que se fosse real não daria chance a uma fração dessas intrigas. Talvez a população tenha escolhido Bolsonaro exatamente com a expectativa de alguém que tirasse do seu cangote as garras dos parasitas perfumados. Dentro da democracia.

Michel Temer era politicamente mais fraco, vinha de um partido repleto de fisiologismo e suas escolhas passadas também suscitavam controvérsia. Mesmo assim resistiu a uma tentativa de virada de mesa e pôs adiante a agenda de reformas. Então por que Bolsonaro, com toda a controvérsia, também não poderia ser um veículo para o avanço da reconstrução que o país quer, já que demonstrou compromisso com essa agenda e equipe apta a executá-la (a exemplo de Temer)?

Não pode porque a escória intelectual não quer. Ela quer ficar aí inventando que a pandemia foi pior no Brasil, e que isso é culpa do governo. Quer ficar gemendo contra o apocalipse fascista na Amazônia. Quer fazer o rebolado retórico que for necessário para deslegitimar um presidente eleito e emplacar seus grupinhos no poder.

A onda da democracia de sinal trocado permite quase tudo. Traz uma espécie de *habeas corpus* para o cinismo (*habeas cínicus*). Foi assim que se inventou o protesto violento contra a violência — como se viu no ataque à estátua do bandeirante Borba Gato, incendiada em São Paulo.

O *habeas cínicus* permitiu a complacência de boa parte do noticiário com a violência — justamente os veículos que resolveram se fantasiar de pregadores da bondade contra o Mal. Montar um supermercado de doçura e sancionar a pancadaria é muita ousadia.

Relativizaram a porrada. Em nome de quê? Da oposição aos brutos? Há algo errado aí. Toda e qualquer notícia sobre um ato violento precisa, obrigatoriamente, reportar em primeiro lugar e acima de tudo a violência desse ato. Mas os modernos gladiadores da bondade confiam no malabarismo retórico: os "manifestantes" atacaram um "símbolo polêmico", que inclusive alguns projetos de lei pretendem remover... etc. Eles têm fé na dissimulação. E acreditam que, com ela, podem até sancionar elegantemente a violência.

Não apareceu ninguém para perguntar ao consórcio da verdade e da bondade: vocês são, afinal, contra ou a favor da violência? Não existe mulher meio grávida. Vocês são, afinal, contra ou a favor da grosseria, da brutalidade, da intolerância e da ignorância — essas coisas horríveis que vocês vivem dizendo deplorar no suposto debate político? Essas causas humanitárias lindas que o seu noticiário vende todos os dias como eletrodoméstico têm alguma coisa dentro da embalagem?

Vamos resumir o caso, sem *habeas cínicus*: a notícia não era um ataque político a um símbolo polêmico. A notícia era o ato violento de incendiar uma estátua. Isso é crime.

Discutir atos brutais dos bandeirantes agindo como ogro não faz muito sentido. Aí não é discussão. É como os fascistoides que jogavam pedra em veículo de imprensa que publicava o que eles não queriam que fosse publicado — até o dia em que veículos de imprensa passaram a transigir, ou mais que isso, compactuando (veladamente, claro) com a boçalidade. Discutir história é outra coisa.

Acha que Borba Gato foi violento contra os indígenas? E acha que vale repudiar a violência dele sancionando um ataque violento à cidade, à cidadania e à civilização? Fazendo vista grossa para o homem das cavernas do século 21 numa via pública de São Paulo? Isso pode ser tudo, menos revisão histórica.

Supondo que os revisores da história soubessem se comportar moral e intelectualmente: o que eles queriam rever?

(Lembrando que revisão histórica não é enfiar um bisturi nos livros para embelezá-los à imagem e semelhança dos desejos do revisor. Revisão histórica não é retocar nem apagar nada, ok, checadores?)

Parte dos registros históricos sugere que Borba Gato foi violento com indígenas, possivelmente com o intuito de subjugá-los? Ok. O outro problema é que Borba Gato não estava no Zoom batendo um papo com seus amigos cultos da Vila Madalena. Ele estava no século 17, período dos desbravadores — no

Brasil e no mundo —, quando missões e expedições eram marcadas por conflitos brutais entre povos e também entre os homens e o meio natural, diante do qual os humanos precisavam se impor para não sucumbir.

Olhar esses movimentos com a lente dos códigos civilizatórios do século 21 não é preconceito, é ignorância. Houve brutalidade por parte de desbravadores e conquistadores, em práticas inaceitáveis pelos códigos modernos. Já a tentação genial de "cancelar" a história ou figuras proeminentes dela pode te fazer parecer bonzinho na cruzada da ignorância digital, mas aí você vai ter que dar uma recuada de uns quatro séculos para botar outro percurso histórico no lugar do que você quer apagar, do contrário você nem poderia estar aqui.

Tá vindo de onde?

A nova "ética" não quer saber a origem de nada. Nem o destino. O importante é o que cada um consegue parecer ser agora. Caça o *like* e segue em frente. Foi assim que o McDonald's passou a ficar muito preocupado com seus banheiros.

Será que nossos banheiros são preconceituosos? — deve ter perguntado algum gênio do marketing a alguma sumidade da consultoria empresarial. Surgiu então na rede de lanchonetes a inovação: o banheiro multigênero, para ser usado por clientes de qualquer sexo.

Na porta das cabines "inclusivas" foram desenhadas três figurinhas: masculina, feminina e transgênero. Como o uso é individual, não faz a menor diferença quem está lá dentro. Mas a propaganda politicamente correta faz muita diferença. O mercado está pagando uma baba por demagogia inclusiva.

Pare num posto de gasolina na beira da estrada, pergunte onde é o banheiro e se você pode usar. Provavelmente o encarregado te entregará uma chave e não perguntará o seu sexo. Aí você pode se trancar lá dentro e escrever emocionado em sua rede social: estou num banheiro multigênero, à beira da estrada. Arremate a sua mensagem ao mundo com um "viva a revolução!".

Uma cliente do McDonald's na cidade paulista de Bauru encontrou um desses banheiros "inclusivos", não gostou do que viu e fez um vídeo espalhando a novidade. A prefeitura da cidade foi lá e disse que não pode. Que as regras do código sanitário preveem a distinção entre banheiros masculinos e femininos.

A conclusão inequívoca deste episódio é muito simples: a humanidade está com todos os seus problemas resolvidos. Mergulhou num tédio profundo e passou a procurar o que fazer para passar o tempo.

Vamos ajudar a humanidade. O tédio é de fato um inimigo poderoso, mas com criatividade é possível vencê-lo. Ou pelo menos enfrentá-lo de igual para igual. A partir do escândalo de Bauru, propomos as seguintes iniciativas, para apimentar a relação do ser humano com seu planeta monótono:

CPI do Banheiro Misto. Qualquer maneira de amor vale a pena — e qualquer maneira de ir ao banheiro também. Um é pouco, dois é bom e três é demais, dependendo da metragem. Se for longa-metragem, recomenda-se "O cheiro do ralo" (para clientes cult) e "Lula, o filho do Brasil" (para usuários com incontinência monetária);

A CPI determinará a quantidade de papel higiênico a que cada cliente terá direito, em nome da diversidade sexual e florestal. Quem for flagrado em qualquer ato discriminatório no banheiro será condenado a usar papel higiênico de segunda mão. Nada de moleza para os preconceituosos;

Dress code. Vamos acabar com a zona nos banheiros das lanchonetes. Homem de saia deverá escolher preferencialmente o McDonald's. Se for escocês, pode ir ao Bob's, desde que esteja com seu passaporte sexual em dia. A clássica pergunta deverá ser feita exclusivamente em linguagem neutra: "Onde é o banheire?". Quem perguntar do modo antigo será indiciado pelo STF por ato antidemocrático;

Se a vida continuar um tédio depois de todas essas medidas criativas, iremos propor ao Burger King separação de banheiros pela cor da pele. Esses banheiros de hoje que só se preocupam com o gênero do usuário denotam claramente um preconceito racial velado — passando uma mensagem subliminar contra a diversidade das cores humanas, em postura nitidamente supremacista;

Dia Mundial de Luta Contra o Preconceito nos Banheiros. A humanidade evoluiu e hoje todos sabem que os banheiros não são mais lugares apenas para necessidades fisiológicas e higiênicas. Banheiro é lugar de leitura e reflexão. No dia do orgulho sanitário — que será inserido numa sequência de eventos denominada Dezembro Marrom —, só será permitido o ingresso em banheiros públicos ao usuário que portar no mínimo um livro de filosofia e um iPhone. Esse iPhone deverá ter acesso a pelo menos uma rede social, na qual o usuário deverá provar que postou mensagens de orgulho sanitário.

As proposições acima visam reforçar a luta da humanidade contra o tédio e a luta pela encenação de novas éticas que possam servir ao nobre princípio de pentelhar a vida alheia (para usar a norma culta das portas de banheiro). Basta de monotonia.

***

A invasão dos marcianos narrada por Orson Welles nos anos 1930 levou ao pânico parte da população norte-americana. O ator iniciou a transmissão de rádio informando que iria interpretar uma peça de teatro. Não adiantou. Parte das pessoas não ouviu o alerta porque ligou o rádio depois. Outra parte ouviu, mas acreditou assim mesmo que a Terra estava sendo tomada pelas criaturas esverdeadas do planeta vizinho. A vontade de acreditar é uma das forças mais brutas da natureza.

Mais de 80 anos depois a humanidade resolveu acreditar numa escalada inexorável de conflito. Não só os conflitos de sempre — entre partidos, religiões, supostas ideologias etc. A nova onda é todo mundo se engalfinhando por alguma coisa com todo mundo. Colegas, vizinhos, casais, amigos, irmãos. Meu reino por um mal-entendido.

O panorama pandemônico ajudou, mas está longe de explicar tudo. Em meio a um problemão atravessando tudo e fazendo um estrago dos grandes, era preciso discutir até a morte se um atleta olímpico pode desistir da competição. Se a desistência nesse caso é respeito aos limites humanos ou concessão à fraqueza. E lá vêm as hordas com gosto de sangue na boca dispostas ao duelo sem fim. O que seria uma questão legítima já nasce com os códigos da dicotomia burra. Escolhe um lado, enche as mãos de pedras e cai dentro.

É um tempo estranho em que não se busca solução de conflitos. Se investe no conflito. Duvida? Então dá uma olhada.

Sabe aquele cara que falava de Proust, Baudelaire e só dava um refresco para explicar o que Vivaldi quis dizer com a inusitada dobra de compasso? Pois é. Ele foi visto por aí comentando a última do Renan Calheiros e caprichando no veneno da flecha destinada à tribo inimiga. Não importa que seja uma flecha digital de mentirinha e que nem esteja muito claro quem é o inimigo.

O importante é ter meia dúzia na plateia do Coliseu imaginário e ao menos uma alma penada passando recibo. Ele já terá colhido seu crachá de guerreiro.

Quem é maior: o Flamengo ou o Corinthians? Esquece. Mesmo no terreno dos duelos mais bobos e divertidos, em que até as cores da camisa poderiam ser evocadas cega e apaixonadamente como prova incontestável de virtude, a coisa desandou. O negócio é dizer que teve um torcedor do adversário que ofendeu uma minoria, o que será rebatido com uma acusação contra o jogador do rival que não teve empatia na rede social.

Mas o futebol não era bom justamente porque você podia brigar com alguém para provar que as cores do seu time são melhores que as do outro, e ponto final?

Era, mas isso acabou. A graça passou a ser plantar conflito de forma que você possa chegar a uma problematização ética — a ponto de alegar que o seu caráter é superior ao do seu oponente, cujas falhas você apontará de maneira implacável. Ou visto de outra forma: a discussão ética foi rebaixada a uma briga de torcida.

Aí de repente você vê num canto qualquer uma nota dizendo que o grupo Boca Livre se separou por causa da vacina de Covid-19. Você não tem culpa se isso te der a sensação de que estão rompendo até o que já estava rompido. Parece que um integrante da banda achava que a picada era a salvação e outro achava que era a perdição. Aí acabou o amor. Impressionante. Com toda certeza essas bocas já foram mais livres.

O negócio é sair no tapa. Mas não esqueça: é preciso um pretexto filosófico. Nada de mandar o marido dormir na sala porque está roncando alto. Expulse-o da cama chocada com o fato de que alguém possa dormir tão profundamente sabendo que as baleias estão ameaçadas de extinção. E se ele disser que não sabia, ameace-o com o divórcio. Você não pode viver ao lado de um alienado.

E se ele te perguntar por que você vive há anos ao lado de um alienado, responda que é porque você é tolerante e inclusiva, mas tudo tem limite.

Rompa com o seu irmão porque ele se diz de esquerda. Rompa com a sua irmã porque ela se diz de direita. Vocês vivem do mesmo jeito, no mesmo lugar, sob as mesmas regras, têm até gostos parecidos, amigos em comum, conviveram até outro dia em harmonia e nenhum de vocês dois jamais disse que queria se mandar para um lugar mais afeito à sua suposta filosofia política. Mas agora vocês se descobriram cão e gato. Só falta escolherem deuses diferentes para adorar detestar um ao outro.

Não há mais dúvidas. Os marcianos estão entre nós. É crer para ver.

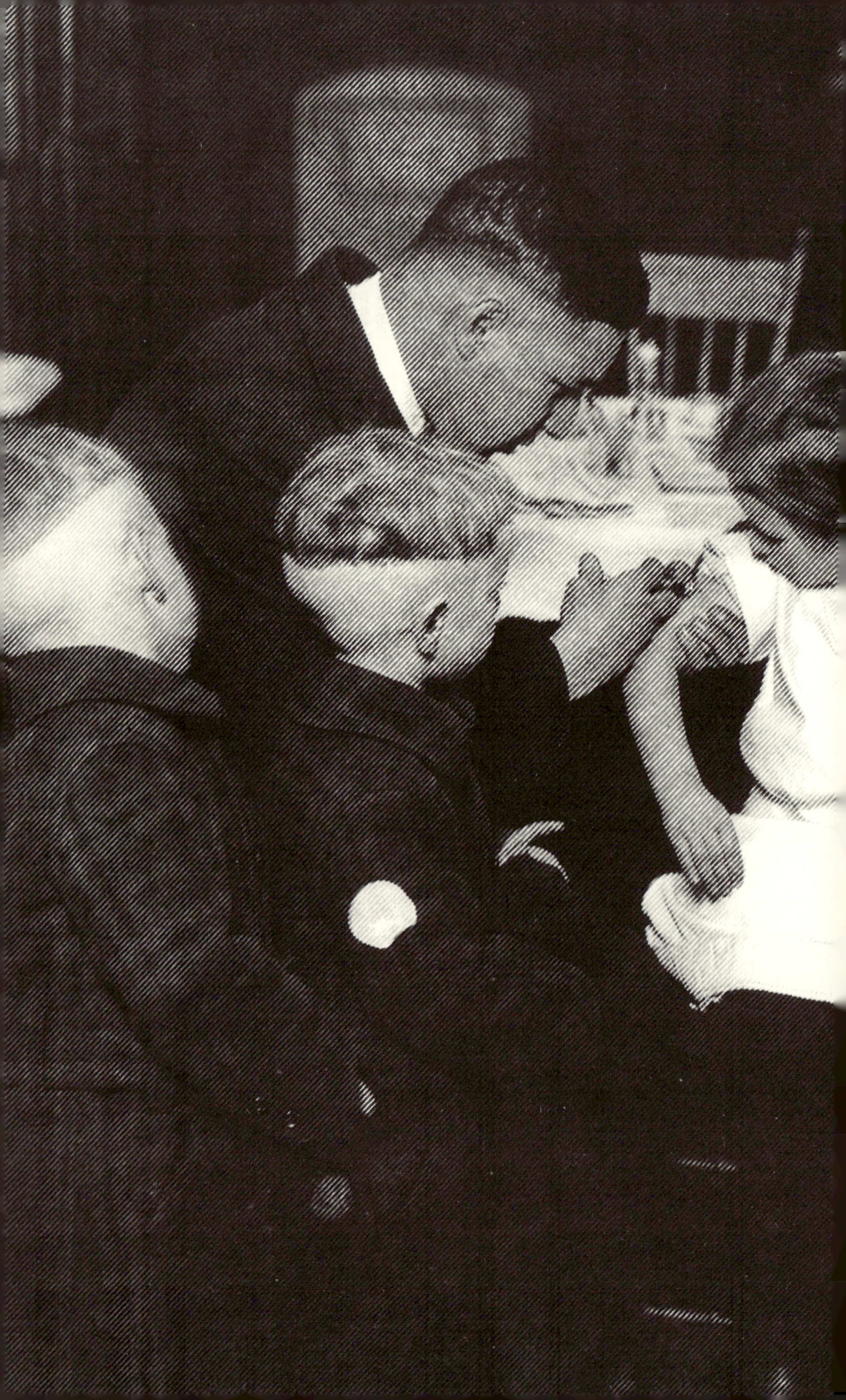

CAPÍTULO 10

Ciência para quem precisa

A utopia de mentira da Agenda 2030 só se tornou possível porque a Organização das Nações Unidas acabou. Ou talvez seja um exagero dizer que acabou. Ela virou uma mobília velha encostada no porão. Cheia de cupim. E nem seria preciso assistir à sua inépcia diante da invasão da Ucrânia para se constatar isso.

A ONU foi importante no século 20. Uma salvaguarda para os direitos conquistados pela humanidade após a derrota do nazismo na Segunda Guerra Mundial. As ameaças de recaída totalitária — fascistas ou neonazistas — encontravam na ONU o fator implacável de dissuasão, o edifício civilizatório afirmando a democracia e a liberdade acima de tudo. Seria até crueldade pedir que alguém olhasse em volta, já na terceira década do século 21, para conferir se esses valores se mantinham intactos — e qual a importância da ONU na garantia incondicional deles.

Vamos poupar o trabalho do observador e adiantar a conclusão: a importância se tornou nenhuma. Zero.

A configuração da Organização das Nações Unidas no avançar do século 21 foi passando a não representar união democrática alguma. Basta ver a escalada da ofensiva chinesa sobre o Ocidente. Como pôde um regime ditatorial indevassável às aferições de liberdade ascender ao *status* de parceiro leal das nações que se dizem democráticas?

Pois foi exatamente isso que aconteceu. Uma potência comercial aceita como força capitalista moderna escondendo (ou nem tanto) uma forma arcaica de organização, erigida sobre o controle férreo dos seus indivíduos.

Que modernidade é essa?

É a nova modernidade com a qual o Ocidente resolveu se envolver, fazendo vista grossa para o descaso com os direitos humanos desse parceiro supostamente moderno. As digitais da ONU estão no reconhecimento da China como economia de mercado — não importando as salvaguardas aos direitos das pessoas que estão na base desse mercado. Onde foi parar o compromisso sagrado com o Tratado de Bretton Woods? E as juras de lealdade à Declaração Universal dos Direitos do Homem?

Foram parar naquele porão cheio de cupim. Tem traça lá também.

A ONU aceitou a China em seu Conselho de Direitos Humanos. Nem seria preciso dizer mais nada. Não foi culpa da ONU. Ela é só uma organização de nações que virou pó (a organização, não as nações, por enquanto). Essa organização virou pó porque o que a constituía era um conjunto de princípios e valores garantidores da democracia — inspirados pela vitória sofrida e sangrenta contra o desumano laboratório de "purificação" de Adolf Hitler. Alguém já disse que tempos difíceis forjam homens fortes e tempos fáceis geram homens fracos.

Talvez a humanidade não tenha sabido lidar bem com as facilidades que alcançou na segunda metade do século 20, após o trauma das grandes guerras.

A ONU já estava sendo colocada de lado pelos próprios Estados Unidos no início do século 21, com as guerras contra o terrorismo a partir do Onze de Setembro. Ali, sua função de árbitro dos conflitos internacionais e avalista de ofensivas de Estado já estava esfacelada. E dentro dos Estados Unidos, grande fiador das Nações Unidas, já emergia clara a tentação de fazer demagogia com oponentes autoritários do mundo árabe — as concessões ao Irã — e de flertar de forma também demagógica, além de interesseira, com o capitalismo ditatorial chinês.

Tratar o "Império Yankee" como o grande mal da humanidade virou bandeira oportunista para parte da própria sociedade americana. E o resultado chegou.

Com a pandemia, o mundo virou refém de diretrizes "de saúde" muito parecidas com as formas implacáveis de controle chinês sobre os seus cidadãos. A diferença é que, na China, a garantia do controle é a força bruta do partido único, com um verniz de propaganda estatal em segundo plano. No resto do mundo, a propaganda salvacionista ficou em primeiro plano, na imposição do controle férreo dos indivíduos.

Eles aceitaram docilmente trocar o seu bom senso na prevenção inteligente e responsável contra o contágio por passaportes de vacinas incapazes de impedir o contágio. A maioria aparentemente não se importou nem com o curto processo de desenvolvimento dessas vacinas, que passaram a ser aplicadas em massa sem que seus riscos totais estivessem dimensionados.

As cabeças estavam feitas e a foto da picada no Instagram era o novo atestado de civilidade.

Essa ainda era a parte da propaganda. Mas a obrigatoriedade — por meio dos passaportes vacinais — já traziam o componente da força. E a ONU? A ONU assistiu a essa escalada autoritária lá do seu porão, entregue às baratas.

O presidente dos Estados Unidos, Joe Biden, disse o seguinte: "Se você estiver vacinado não vai pegar Covid-19." Ou seja: mentiu. Mas não deve ter sido por mal. Se um presidente bonzinho como esse resolveu mentir, só pode ter alguma coisa boa por trás. Talvez o *lobby* selvagem da vacina, que se tornou a instituição mais sólida do Planeta Terra. Quem precisa da ONU?

Já Andrew Cuomo, governador de Nova York, colocou o poder público para instar os cidadãos a se vacinarem, mesmo os que espontaneamente não queriam. Esse negócio de espontaneidade acabou. Vai tomar vacina experimental porque eu estou mandando. Minha ciência é um caminhão de manchetes que apoiam o meu doce totalitarismo, e eu posso te soterrar com elas se você não me obedecer. A eficácia e a segurança da vacina a gente confere depois, que agora eu estou com pressa. Direitos humanos tinham os seus avós.

Andrew Cuomo teve que renunciar ao governo de Nova York após acusações de assédio sexual. O sexo aí foi quase um pretexto para retirar de cena um personagem suspeito na gestão da pandemia, mergulhado até o pescoço no assédio vacinal à sua população — um ato de coação que se tornou mais visível quando foi revelado que Cuomo aglomerou idosos com Covid-19 em asilo inadequado, e passou a ser acusado de manipular o número de mortos.

Já Anthony Fauci, o *showman* da pandemia, disse não haver possibilidade de o novo coronavírus ter vindo de laboratório (quando já sabia que havia, como mostraram seus e-mails vazados), disse não ter financiado estudos de "ganho de função" de vírus (manipulação para transmissão entre humanos) quando o fundo que geria fez aportes ao laboratório chinês onde esse tipo de estudo aconteceu — coincidentemente em Wuhan, cidade onde surgiu a pandemia. Esse assessor de saúde da Casa Branca que gaguejou quando interrogado pelo senador Rand Paul sobre as questões acima se colocou como uma espécie de oráculo da saúde mundial.

Fauci propagou agressivamente a vacinação de crianças e adolescentes contra a Covid-19, sem nunca demonstrar que o risco da doença nessas faixas etárias seria maior que o risco da vacina. Mas, tudo bem. Um oráculo não deve satisfação a ninguém — nem mesmo aos nostálgicos da ONU e da OMS.

No Brasil, o ministro da Saúde, Marcelo Queiroga, foi no embalo e publicou diretriz para a vacinação de adolescentes. O Ministério da Saúde brasileiro tinha como demonstrar que os riscos da Covid-19 para adolescentes eram maiores que os riscos das vacinas para esse grupo populacional? O Ministério da Saúde tinha as conclusões dos estudos sobre ocorrência de efeitos adversos nessa faixa etária (como miocardite) após aplicação da vacina contra Covid-19?

Pesquise. Se a resposta for não, você conclui que a diretriz colocada para vacinação de adolescentes foi:

a) uma distração;
b) uma completa irresponsabilidade;
c) outra coisa pior que isso.

O cardiologista e professor de Medicina norte-americano Peter McCullough, com mais de 80 mil citações em publicações acadêmicas segundo o Google Scholar, alertou: "Os códigos da FDA (agência reguladora de saúde dos Estados Unidos) exigiam um mínimo de dois anos de dados de segurança para aprovação de uma vacina. Para a Covid-19, esses dois anos viraram dois meses." O dr. McCullough revelou também seu espanto com a vacinação em massa de grupos que sequer haviam sido testados, como as grávidas. "Isto nunca aconteceu." É tranquilizador viver num mundo de instituições confiáveis.

Thais Possati de Souza, grávida de cinco meses, morreu no Rio de Janeiro pouco mais de duas semanas após se vacinar contra a Covid-19, vítima de um AVC hemorrágico. Horas após a sua morte, a Agência Nacional de Vigilância Sanitária emitiu nota técnica vetando a vacina que ela tomou para grávidas. Infelizmente a nota da Anvisa não devolveu a vida de Thais e de seu filho aos familiares dela.

Num mundo de instituições confiáveis, você não precisa de uma demonstração sólida do risco/benefício de vacinas experimentais. Não precisa de uma demonstração sólida da ação imunizante da vacina como fator de mitigação da pandemia. Você só precisa de propaganda, *slogan*, gritaria, censura, ordem unida, intimidação e coação. Ciência sobre eficácia das vacinas contra a pandemia e seus riscos você não precisa ver.

Ciência para quem precisa de ciência, diria o poeta. Você já tem um caminhão de manchetes iluministas de fundo de quintal, para que mais?

Ainda assim, cabe a pergunta: o que seria dessas instituições confiáveis e dessas autoridades responsáveis se não fosse a colaboração decisiva do cidadão crédulo? Veja-o em ação, ou pelo menos imagine, e tire suas próprias conclusões:

— E aí, já vacinou?

— Vacinei quem?

— Você?

— Ah, tá perguntando se eu ME vacinei.

— Isso.

— Não, porque você perguntou "já vacinou", achei que fosse pra saber se eu estava vacinando alguém.

— Só se você fosse enfermeiro.

— Pois é, não sou.

— Então: já vacinou?

— Não vacinei ninguém.

— Não tô perguntando isso.

— Vou te ajudar: já SE vacinou?

— Já! Quer ver a foto?

— Não, obrigado.

— Mas vou te mostrar. Olha aqui: nem chorei.

— Parabéns.

— A enfermeira disse que eu suportei bem. Ela era bonitinha, acho que pintou até um clima.

— Acha?

— É, não tenho certeza. Mas vou voltar lá.

— Pra pedir o telefone dela?

— Não, pra tomar a outra vacina. Aquela de primeiro mundo.

— Vai tomar outra?!

— É, acho melhor. Porque depois de vacinar acabei pegando Covid-19. Então quero tomar logo essa poderosa aí pra não me preocupar mais.

— Sei.

— Chato é esse negócio da miocardite.

— Que negócio?

— Nos Estados Unidos e em Israel, eles estão estudando inflamação cardíaca em vacinados. Não sabem ainda o percentual.

— Aí complica.

— Não acho. Você não ouviu todo mundo dizer que as vacinas são boas e seguras?

— É, tenho ouvido.

— Então? Quando todo mundo diz é porque é.

— Todo mundo é muita gente.

— Muita. Aí ficam esses negacionistas falando em coágulo. Que mané coágulo?!

— Pois é, de fato descobriram que vacina contra Covid-19 pode provocar coagulação e trombose. Mas não tem estatística.

— Eu sou a favor da ciência. Quem fica duvidando de vacina é contra a ciência.

— É tudo muito confuso.

— Não tem nada confuso. Confuso é ficar fazendo pergunta no meio de uma pandemia. Eu sou iluminista. Vacina e fim de papo. O resto é coisa de seita.

— Tá parecendo seita mesmo esse negócio de não deixar ninguém falar.

— Não tem que deixar mesmo, não. Pra falar contra a ciência, é melhor calar a boca.

— Você sabe quantos...?

— Cala a boca.

— Por quê? Só ia perguntar se você sabe quantos atletas foram à Olimpíada do Japão.

— Não sei e não quero saber. Bando de negacionista.

— Os japoneses?

— Completamente irresponsáveis. Sediaram uma Olimpíada sendo um dos países menos vacinados do mundo.

— E ainda assim parece que o número de óbitos lá era bem baixo.

— Se tivessem vacinado direito seria zero!

— Será?

— Cala a boca.

— Por quê?

— Porque eu quero.

— Posso falar só mais uma coisa?

— Se for contra a ciência, não.

— Não é contra a ciência.

— Tá bom. Fala.

— Esse passaporte da vacina...

— O que tem?

— Pra poder ter acesso aos lugares, circular livremente...

— Eu sei o que é, porra. Fala logo.

— Não, só ia te perguntar se você não acha que obrigar as pessoas a tomar vacinas que ainda estão sendo estudadas pode dar cadeia pra quem obriga.

— Vou fingir que não ouvi esse absurdo. Senão o preso seria você.

— Obrigado por não me ouvir.

CAPÍTULO 11

Política não é nada disso

É sempre um pouco constrangedor o avanço do falso debate político — cada vez mais, na realidade, uma batalha de narcisismos e afetação de virtudes com fins pessoais, e não sociais, como se pretendem. A cosmética 2030 é bonitinha, mas ordinária, como diria o sábio.

O avançar do século 21 potencializou esse problema, mas ele vem de antes. E no terreno da política eleitoral, a tendência à miragem é ainda mais acentuada. Desde que retomou as eleições presidenciais em 1989, o Brasil raramente viu o resultado das eleições confirmar — nas ações de governo — o que parecia estar em jogo no confronto político do momento.

Quais eram as expectativas principais que cercavam o vitorioso em cada eleição presidencial brasileira?

Collor se elegeu em 1989 batendo obsessivamente em Sarney, encarnando a esperança no ataque aos privilégios da velha política (marajás) e no combate à corrupção. Teve que renunciar após um escândalo de corrupção — o caso PC Farias, o assessor que praticava tráfico de influência em seu nome.

Por incrível que pareça, o motivo central da renúncia de Collor não foi o maior choque. Eleito com uma plataforma de modernização contra o velho estatismo, ele veio com um plano de combate à inflação (o grande mal da época) autoritário e dirigista, que incluía confisco de saldos bancários do cidadão.

O suposto choque de capitalismo liberal pariu um plano soviético.

Em 1994, Fernando Henrique Cardoso foi eleito no embalo do Plano Real, lançado naquele ano. Seu adversário principal era Lula, que tinha perdido no segundo turno para Collor, mas crescera depois do processo de *impeachment*/renúncia — que desmoralizara o discurso de modernização.

A candidatura de FHC era atacada como uma reedição da promessa de modernização de Collor com mais um plano mirabolante que morreria na praia. Parecia para muitos que o eleitorado cairia mais uma vez na hipnose do controle momentâneo de preços, como aconteceu no Plano Cruzado, que elegeu governadores pelo país inteiro em 1986 e em seguida naufragou.

Pela primeira vez aconteceu o contrário e o Plano Real deu certo, contendo de fato a inflação e desautorizando os que apostavam em mais um estelionato eleitoral.

Em 1998, FHC foi reeleito prometendo manter a estabilidade econômica e o valor da nova moeda. Descumpriu a promessa em menos de seis meses. A maxidesvalorização do real, forçada pela crise da Rússia e executada de forma atabalhoada, parecia o fim do sonho do controle da inflação.

O sonho não acabou, mas o governo FHC precisou afrouxar o controle fiscal e desacelerar as reformas liberais, contrariando as expectativas do eleitorado para o segundo mandato.

Lula foi eleito em 2002 com um discurso dúbio. Por um lado, fez a maior parte da campanha com uma pregação caricata de progressistas contra neoliberais, procurando desacreditar FHC como se ele fosse um Collor levemente melhorado.

Na reta final da campanha, porém, questionado pelo então ministro da Fazenda Pedro Malan sobre suas reais intenções macroeconômicas, Lula comprometeu-se com os fundamentos do Plano Real — e cumpriu, nomeando uma equipe afinada com a de Malan e consolidando a estabilidade monetária.

Na segunda metade do primeiro mandato, a partir do escândalo do Mensalão, Lula passou a abandonar gradualmente os compromissos de gestão fiscal para investir tudo no populismo fisiológico, achando que ou voltava à velha demagogia "esquerdista" ou estava liquidado. Pode-se dizer que chegou a ser um bom governo naquilo que contrariou a velha retórica do candidato e um mau governo naquilo que ressuscitou essa retórica.

Lula foi reeleito em 2006 ainda sangrando com o Mensalão. Derrotou Geraldo Alckmin afirmando que os tucanos representariam a volta da crise econômica — referência à maxidesvalorização de 1999 e à crise de energia de 2001.

O então presidente tinha a seu favor bons indicadores socioeconômicos, que se deviam em grande medida à casa arrumada pelo Plano Real e a um período de bonança no cenário externo. Seu governo ajudara a consolidar o Real, mas naturalmente isso não era dito dessa forma.

Os bons resultados socioeconômicos eram associados a uma suposta sensibilidade progressista do governo do PT — não só pelo próprio PT, como por boa parte do eleitorado. Essa mistificação política virou ativo eleitoral decisivo para o partido em três disputas — 2006, 2010 e 2014.

Dilma foi eleita com uma propaganda de gestora (a "Mãe do PAC" - Programa de Aceleração do Crescimento) e fez o exato oposto, aprofundando o aparelhamento das instituições. Erenice Guerra não era um PC Farias, mas o governo Dilma se pareceu bastante com o governo Collor no desencontro de expectativas — gestão moderna (expectativa) *versus* fisiologismo arcaico (realidade).

Naturalmente, o Petrolão transformou o Esquema PC em brincadeira de criança.

Bolsonaro foi eleito em 2018 com a expectativa da retomada da agenda liberal, reiniciada no governo Temer, e do combate à corrupção disseminada pelo PT. A tentativa de levar simbolicamente a Lava Jato para o governo na figura de Sergio Moro naufragou com pouco mais de um ano. Ainda assim, foi uma gestão sem escândalos de corrupção comprovados.

A retórica contra a "velha política" não se sustentou e alguns representantes da velha política ganharam espaços importantes no governo. Ainda assim, foram preservadas escolhas técnicas no primeiro escalão e a agenda liberal de Paulo Guedes foi prestigiada, com alguns enguiços e muitos contratempos, mas também resultados visíveis.

Mas as expectativas gerais sobre a disputa política sempre se desgarram do que realmente está em jogo, e 2022 não constitui exceção.

O debate sobre uma suposta tentação autoritária de Bolsonaro continuou sendo alimentado por caricaturas e não associado a práticas do governante. A lisura da eleição também entrou em pauta com um nível de importância que não se viu em disputas anteriores. E a discussão programática foi abalroada, de forma sem precedentes, pelo "novidadismo".

Entre outros exotismos, o Brasil viveu na marcha para 2022 uma epidemia de aventureiros — parte deles constituída por milionários cismados com a Presidência da República. É a síndrome do "Mamãe, quero ser presidente", muito comum entre gente com o boi na sombra. O que mais poderia explicar o surto de Dórias, Hucks, Amoedos, Pachecos etc., agarrados a essa paranoia de mandar nos outros?

Sim, essa é a paranoia. Porque se fosse uma paranoia do tipo missionária, quixotesca ou algo assim, eles não tentariam atrapalhar absolutamente tudo que é feito no país para se apresentarem como solução heroica. É a velha história: quando a criança não recebe o devido contraponto ao narcisismo primário, passará o resto da vida querendo tudo para si — e nunca estará satisfeita.

O problema é que a complacência das sociedades com as emanações do narcisismo pueril delirante parece ter crescido. Não surge ninguém para dar uma segurada no chilique. Os adultos estão cansados ao final de um dia de trabalho, e lá estão os pirracentos na sala dizendo que vão salvar a Amazônia, que vão dar aula de democracia, que está tudo errado e a Greta tem razão: ninguém nunca fez nada que preste por este planeta e eles vieram dar a real.

São criaturas sovinas, personalistas, calculistas e gulosas que ficam recitando um teatrinho amador de solidariedade e empatia, sem que a coletividade contraponha com a dignidade e a clareza necessárias: deixe de ser ridículo.

O mais interessante é que personalidades tidas como reserva intelectual da nação, tipo um FHC, passaram a se desmanchar diante desses emergentes remediados. A elite culta estava chocada, perplexa, estarrecida com a ascensão política dos rudes sem compostura, sem lastro histórico e doutrinário. De repente, caiu de joelhos diante de um aventureiro de auditório. Só desgarrou dele quando ele mesmo desistiu de brincar.

De quantas conveniências e facilidades se faz uma grande alma?

É isso. Por que insistir em chamar de política o que é só uma loja de conveniência? Tem prateleiras acessíveis com éticas baratinhas para tudo — ecologia, empatia, ciência, humanismo, inclusão sexual. É só passar no caixa; ou nem precisa, se for amigo do dono. E sair sorrindo com um abadá de preocupação social, com pulseirinha VIP de macho sensível ou fêmea consciente, com camarote exclusivo na avenida das elevadas virtudes carnavalescas.

Mas nada seria possível nesse fabuloso mundo de facilidades sem uma imprensa abnegada na dura missão de transformar loja de conveniência em templo de virtudes. Não pense que é fácil se prestar ao papel de vender arregimentadores de bilionários como luminares da comiseração. Não despreze o custo de um rebolado até o chão para transformar frases de porta de banheiro em moderna filosofia progressista.

A contracultura libertária do século 21 é um ajuntamento de nerds ricos e tarados pelo controle de cada vírgula. E as sociedades entraram nessa democracia de cativeiro porque quiseram.

Quem quer ser um mimado profissional e mandar geral? Não veio só milionário nessa onda. Teve juiz também. Depois do sucesso na operação Lava Jato, Sergio Moro pensou que estivesse politicamente milionário. E que pudesse se transformar em qualquer coisa com essa fortuna: bastaria decorar algumas frases de efeito. Como presidenciável, virou um mestre-sala do falso debate político que encobre a batalha de confetes narcísicos — a tal da biografia.

— Bom dia, sr. candidato.

— Bom dia.

— Sr. candidato, qual é o principal ponto do seu programa de governo?

— Prezado, não estou à venda.

— Hein?!

— Isso mesmo que você ouviu. E não adianta insistir.

— Mas eu não insinuei nada. Perguntei sobre programa de governo.

— Você pergunta o que quiser. E eu respondo o que eu quiser.

— Ok. Bom saber que posso perguntar sobre qualquer assunto.

— Fique à vontade.

— Obrigado. Continuando então: qual será a sua estratégia para combater a corrupção?

— Prezado, não estou à venda.

— Espera aí, sr. candidato. Estou perguntando sobre combate à corrupção. Não sobre participar de corrupção.

— Eu ouvi muito bem a sua pergunta.

— Então não estou entendendo.

— Nem eu. Tudo aqui é um pouco complicado para mim.

— Como assim?

— Está vendo como é complicado? Você também não entende.

— É... Bem, continuando a entrevista: quem será o seu ministro da Economia?

— Prezado, não estou à venda.

— Olha, assim o senhor já está me ofendendo. Eu não o acusei de nada. Não perguntei para qual ladrão o senhor vai entregar o dinheiro do contribuinte. Só quis saber o nome de um ministro do seu governo, se é que o senhor já tem esse nome.

— Pois é. Não estou à venda.

— Ok. Tudo bem. Que bom que o senhor não está à venda. É um ótimo começo. Parabéns.

— Obrigado.

— Vamos passar então para perguntas mais gerais. Depois, se quiser, o senhor fala do seu plano de governo.

— Ok.

— O senhor teme a Ômicron?

— De jeito nenhum. Acho um ótimo presidente.

— Hein?

— Sim, tem feito uma boa gestão na França. Inclusive é contra o desmatamento na Amazônia, o que, aliás, eu também sou. Me identifico com ele. Nós somos também contra o preconceito e contra a infelicidade geral.

— Acho que o senhor está confundindo Ômicron com o Macron.

— Prezado, não estou à venda.

— Eu já entendi essa parte. É que a minha pergunta foi sobre a nova variante.

— Não sei o que vocês têm contra a variante. Pra mim é tudo igual: variante, chevette, fusca, brasília. Se bem que atualmente estou preferindo brasília.

— Entendi. Cada um com as suas preferências, né?

— Claro! Eu defendo a liberdade de expressão.

— E a Lava Jato?

— Fundamental. Carro tem que estar sempre limpo.

— Que carro?

— Você é confuso, hein? Não estamos falando sobre carros? Então, estou dizendo que pra mim tanto faz a marca, desde que o carro esteja limpo.

— Certo. Faz sentido. Posso fazer uma última pergunta?

— Lógico. Já falei que você é livre para perguntar o quanto quiser.

— Obrigado. A pergunta é a seguinte: se te prometessem poder, meios, facilidades, bajulação da imprensa, enfim, uma vida mais doce, você toparia esquecer quem você era?

— Prezado, isso é muito relativo.

Nem uma entrevista imaginária é tão desconcertante quanto a imagem real do que passaram a chamar de "terceira via" no Brasil. Sergio Moro, o ex-juiz que ficou famoso pelo seu rigor e pragmatismo, entrou nesse bloco carnavalesco como se sempre tivesse estado no tradicional rebolado demagógico dos presidenciáveis profissionais. Ciro Gomes ficou morrendo de ciúmes.

Mas não deixou barato. Em certo momento, a caminho da eleição de 2022, ameaçou desistir da sua candidatura eterna. Foi um Deus nos acuda.

O momento era difícil, com o país enfrentando desafios sem precedentes, mas por essa ninguém podia esperar. Os brasileiros tiveram que aprender até a viver sem carnaval, mas sem Ciro Gomes candidato, o povo fatalmente perderia o rumo de casa.

Como uma pátria pode manter sua identidade se, de repente, um dos seus eventos mais tradicionais, repetido religiosamente a cada quatro anos, é simplesmente cancelado? Como isto aqui poderia continuar se chamando Brasil sem os insultos sazonais de Ciro Gomes? A nação verde-amarela seria capaz de se recuperar de um golpe tão duro?

Pensa bem: sem Ciro Gomes na disputa, quem bateria em repórter? Quem xingaria os adversários com a mais famosa incontinência verbal da política brasileira para depois correr para o colinho das subcelebridades cariocas, no qual boçalidade vira doçura?

Sergio Moro é esforçado, mas jamais preencheria essa lacuna. Quem diria que Lula não presta, mas é meu amigo, mas usou o PT, mas foi usado pelo PT, mas não merecia ser preso, mas tava preso, babaca (valeu, Cid), mas é um grande líder, mas já era, mas sei lá, votem em mim em vez do Lula, votem em mim em vez do adversário do Lula, porque eu sou a verdadeira centro-esquerda e a verdadeira centro-direita, enfim, eu sou o que vocês quiserem que eu seja, eu sou a terceira via de mão dupla, que pode engrenar uma quarta, se vocês quiserem, ou até mesmo a segunda via, com firma reconhecida, se a primeira tiver se extraviado.

Como o Brasil poderia encarar uma eleição presidencial sem essa clareza de propósitos que a cada quatro anos faz de Ciro Gomes seu Norte? Seu Nordeste? Seu Centro-Oeste? Seu

Sudeste? Seu Sul? E também seu Sudoeste, seu Noroeste e mais que direção você quiser que ele invente, o que nunca foi problema. Um candidato que tem na ponta da língua o número que você quiser — frio ou quente, salgado ou doce, enfim, ao gosto do freguês. Como encarar uma corrida presidencial sem esse patrimônio da coerência nacional?

Analistas de mercado foram vistos roendo as unhas. Que cenários projetar, sem o fator Xingo Nomes? Os adivinhões mais marrentos ficaram acuados como crianças assustadas. Ninguém arriscava previsão nenhuma. Vendedores de cursos e palestrantes sabichões rasgaram seus MBAs. Todos teriam que começar do zero se essa bomba se confirmasse. Ninguém ousaria dar uma palavra sobre o futuro da Nasdaq se Ciro Gomes saísse de cena. O Dow Jones nem saberia se ainda haveria pregão. Desde o Onze de Setembro não se via tanta incerteza.

E poderia piorar. Imagine se a renúncia de Ciro Gomes ao cargo de presidenciável profissional contaminasse Marina Silva?

Ok, é um cenário cruel demais, mas numa hora dessas é preciso ser forte e se preparar para o pior. Responda com coragem e sem evasivas: uma eleição presidencial sem Marina Silva e Ciro Gomes pode ser considerada eleição?

Eis uma dúvida jurídica que o time do TSE teria de destrinchar. Pelo menos essa segurança o país tem: o TSE com toda certeza contrataria as melhores subcelebridades militantes para dizer ao público, de forma eminentemente técnica, se eleição sem Marina e Ciro é golpe, micareta ou sonho de uma noite de verão. Nessas horas, um tribunal confiável é tudo.

Mesmo que o TSE decidisse pela legitimidade de uma eleição sem a dupla de presidenciáveis mais famosa do mundo, ainda restariam dilemas cívicos capazes de macular o processo eleitoral. Quem iria tirar os brasileiros do SPC? Quem ofereceria aquela salada verde de apocalipse climático com democracia de alta intensidade — tudo envernizado por economistas famosos e ricos que se sacrificam a cada eleição para retocar suas biografias e aparecer como oráculos da bondade?

Situação muito preocupante. Vai que além de Marina e Ciro, o João Amoedo também desistisse? Aí seria melhor cancelar o pleito de uma vez e deixar as urnas eletrônicas decidirem sozinhas. Como se sabe, elas têm vontade própria.

CAPÍTULO 12

Se as eleições fossem ontem

O árbitro da disputa diz que as regras do jogo são claras. Clareza pressupõe segurança. Não é preciso mexer em nada; o garantidor da disputa limpa garante.

Não muito tempo antes, o árbitro fora visto defendendo mudanças nas regras do jogo para aumentar a segurança da disputa. Aumentar a segurança pressupõe segurança insuficiente. Participantes do jogo e outros interessados encamparam a proposição de aprimoramento das regras — o mesmo aprimoramento defendido pelo próprio árbitro. Mas o árbitro ressurge afirmando que o aprimoramento que ele acabara de defender agora é retrocesso. E risco de insegurança.

Parte dos envolvidos na disputa pergunta ao árbitro o que mudou no jogo para que ele mudasse em 180 graus a sua posição sobre as mudanças propostas. O árbitro xinga os interlocutores e não responde. É soberano e não deve satisfações a ninguém.

Participantes do jogo descobrem um relatório policial mostrando que o árbitro reconheceu violação das regras de segurança na disputa anterior. Essa violação chegou ao centro do sistema que rege a disputa, abrindo amplas possibilidades de manipulação de resultados.

Não se sabe a extensão da manipulação porque todos os arquivos do sistema de segurança foram apagados pela assessoria do árbitro.

Por que a assessoria do árbitro apagou a memória da disputa?

Cala a boca que ninguém te perguntou nada.

O árbitro então se diz alvo de uma conspiração. Denuncia ameaça de golpe. Diz que os que propõem o aumento da segurança na disputa na verdade querem fraudá-la. Afirma que o sistema verificador de resultado que está sendo proposto é uma brecha para a manipulação. Segurança mesmo só há sem a possibilidade de auditar o resultado.

Mentir e dissimular é só começar. O soberano é justo — só mente por uma boa causa. Ele precisa livrar a coletividade de um golpe demoníaco e por isso sai mentindo furiosamente, acusando os que constatam a impossibilidade de auditagem da disputa de desinformação, *fake news* e sabotagem.

O árbitro passa a agir para tirar do jogo o vencedor da última disputa. Diz que ele deve ser desclassificado por pleitear que o resultado seja verificável. O soberano afirma que isso é blasfêmia. Então é porque é.

A manobra ocorre após outra decisão importante do árbitro: recolocar no jogo o participante que foi desclassificado por roubo. O infrator é recolocado na disputa porque burlou todas as regras, mas foi sem querer. *Fair play.*

Por falar em roubo, a polícia constata a vulnerabilidade das regras do jogo. O país sai às ruas pedindo a atualização dessas regras para aumento da segurança na disputa — uma mudança simples que todo mundo entendeu. O árbitro diz que a polícia, os técnicos e o povo estão errados. São todos suspeitos de conspiração.

No gabinete está tudo tranquilo. É um ambiente limpo e seguro, sem barulho de povo e sem polêmica. As manchetes amestradas ecoam a voz do árbitro, que se delicia lendo e relendo o noticiário amigo no qual não há espaço para gentalha batendo pé nas ruas, essa massa ignara que nem fala cinco idiomas. Desse bem-estar profundo, o soberano retira toda a verve e o elã do seu próximo libelo virtual. É ou não é doce, a vida?

Mas... Que ruído é esse? Parece estar vindo lá de fora. Está aumentando. Será o mundo real, esse inconveniente? Será que na verba para o ar-condicionado dos corredores subterrâneos se esqueceram da duplicação das paredes? Resolvam isso! Urgente!

Esta instituição é a dona da bola. Faz com ela o que quiser. Pode inclusive chutá-la para um dos gols, se assim desejar. Quem vaia já perdeu. Dupliquem as paredes e aumentem o som. Mozart ou Beethoven, tanto faz. O quê? Hackearam? Só tem forró?

Ok. Vamos modernizar o sistema.

— E esse negócio de voto auditável?

— O que tem?

— Você acha bom?

— Sou contra.

— Por quê?

— Acho que ninguém deve ditar o voto de ninguém.

— Como assim?

— Cada um tem que votar de acordo com a sua consciência.

— Não falei voto ditável. Falei voto auditável.

— Ah, tá. Mesmo assim.

— Também é contra?

— Claro. De auditável pra ditável é uma sílaba só. Quem garante que ali na solidão da cabine não vão sumir com essa sílaba? Um latido a menos e lá se vai a lisura da eleição.

— Latido?

— Sim. Au. Tira o au e o voto fica ditável. Já imaginou? Você na cabine e alguém de fora ditando o seu voto? Acabou a democracia.

— É, realmente. Mas e se conseguirem criar um sistema seguro que não permita esse latido a menos, quer dizer, que não permita a perda dessa sílaba crucial e o voto passe a ser auditável mesmo. Você apoia?

— Não.

— Por quê?

— Já viu as pesquisas?

— Pra presidente?

— É.

— Vi. O favorito tá disparado.

— Pois é. Tá tão clara a vantagem que, no meu modo de ver, o país nem precisava gastar tempo e dinheiro com eleição.

Entrega logo o palácio pra ele, que já morou lá e sabe direitinho onde fica tudo.

— Principalmente o cofre.

— Aí você tocou no ponto central. Esse homem é generoso. Abriu o cofre pros amigos, pros filhos, pros afilhados, pros padrinhos e pros sócios. Não ficou naquela mesquinhez de trancar tudo e deixar o dinheiro parado.

— Por isso ele lidera com folga as pesquisas.

— Exatamente. O que o brasileiro mais quer é ver a quadrilha voltar a sorrir. Saudade daquele tempo de paz, harmonia, sem ódio, quando o povo sabia que estava dando seu suor pra construir um Brasil melhor pros empreiteiros conscientes e os açougueiros biônicos.

— Agora me emocionei.

— Calma, não chora. Nostalgia não leva a nada. O homem tá de volta.

— Tá mesmo! Com ou sem voto auditável?

— Porra, de novo esse papo? Esquece isso, companheiro. Que ideia fixa.

— É que estão falando por aí...

— Não interessa. Esquece. Não existe. "Estão" falando, quem? Meia dúzia de reacionários?

— É, meia dúzia de paranoicos. Eu até achei que tinha visto milhões de pessoas nas ruas, mas aí não vi nada na TV e nos jornais, então acho que foi impressão.

— Cuidado com esse teu sintoma. Não acredita em nada que não esteja concretamente numa tela diante de você.

— Tem razão. Nem sei o que eu fui fazer na rua.

— Pode deixar que não comento com ninguém.

— Obrigado. Mas então você acha mesmo que o voto auditável com registro impresso...

— Cala a boca!

— Desculpe. Escapou.

— Você tá se arriscando. Vai acabar sendo convocado pra CPI.

— Não! Por favor. Eu não fiz nada.

— Então se liga. E firma nas pesquisas. Pesquisa é ciência.

— Eu sou a favor da ciência.

— Que bom. Isso, sim, é auditável. O meu preferido é o Instituto DataVenia. Eles provam por A + B que um ladrão é inocente desde que só tenha lesado as pessoas certas.

— Fizeram essa auditoria?

— Claro.

— Quem fez?

— O próprio Instituto DataVenia.

— Ué? Ele auditou a si mesmo?

— Qual é o problema? Economiza dinheiro público.

— Não tinha pensado nisso. E o que a auditoria concluiu?

— Que se o bom ladrão fez mal a alguém foi sem querer, e quem é você pra sair julgando os outros assim.

— Eu?

— Não, rapaz. Os juízes invejosos que detestam quem dá certo.

— Ufa. Entendi. É, a inveja é uma merda.

— Nem fala. Por isso esses recalcados ficam querendo eleição com voto assim, com voto assado. Estão claramente tentando achar um jeito de desmentir as pesquisas.

— Esses institutos são tão bons, não dá pra fazer uma pesquisa mostrando que o líder já está eleito?

— Interessante. Acho que dá, sim.

— É só trocar essa coisa abstrata de "se as eleições fossem hoje" por algo mais assertivo: "As eleições foram ontem." E já anuncia o resultado.

— Genial.

— Aí o líder já pode botar a mão na massa e pegar a chave do cofre, não precisa mais ficar por aí lutando contra o voto audit... Desculpe, quase escapou de novo.

— Tudo bem, você tá com crédito. A sua ideia foi ótima. Vou ligar pro Instituto DataVenia.

— Boa sorte. Viva a democracia!

— Também não exagera.

— Desculpe. Me empolguei.

O supremo ministro acordou invocado e inocentou o ladrão. É assim mesmo que a Justiça tem que ser: rápida, decidida e leal aos seus padrinhos. Justiça boa é justiça amiga. A decisão histórica do ministro livrou o Brasil de uma névoa de incertezas com a qual os brasileiros não suportavam mais conviver.

A principal delas era a mais óbvia: por que o maior ladrão do país, condenado a mais de vinte anos de prisão por corrupção passiva e lavagem de dinheiro, estava à solta sem pagar pelos seus crimes?

A autoridade suprema resolveu essa angústia nacional: o ladrão é inocente. Fim de papo. Ladrão inocente é ladrão solto. Desenvolto. Desimpedido. Desembargado para exercer em paz sua delinquência benévola, sua rapinagem testada e aprovada em altos círculos intelectuais.

A burguesia rica que ama o seu picareta de estimação, seu revolucionário 171, seu bibelô da falsa preocupação social respirou aliviada. Ela pôde voltar a fantasiar seu egoísmo de solidariedade só com as duas palavrinhas empáticas — Ladrão Livre. Não precisa nem gastar dinheiro com costureira. É o carnaval mais barato da Terra.

No quesito alegoria e adereços, ninguém barra o supremo desfile na apoteose dos três poderes. Saiu da cartola um embargo de declaração transformando em purpurina três instâncias da Justiça brasileira. Não valeu nada. Estava tudo no lugar errado.

Foram sete anos de confirmações, em cortes de todos os níveis, de que estava tudo no lugar certo. Mas, como informamos anteriormente, o ministro supremo acordou invocado. E quando um homem resoluto acorda invocado, ele pode corrigir até o *Big Bang*. Aí as plantinhas podem ir devolvendo aquela fotossíntese toda porque a luz veio do sol errado. Sem choro: contrata um advogado amigo da corte e vai procurar o seu sol.

A bolsa despencou porque não entendeu a beleza do ato do ministro iluminado. Com uma canetada, ele acabou com a insegurança jurídica no país desfazendo uma torrente de dúvidas que paralisavam os brasileiros.

Para início de conversa, ninguém conseguia entender por que o sítio do ladrão que não era do ladrão tinha pedalinhos personalizados com nomes familiares ao ladrão. Ou por que o caseiro do sítio se comunicava com o Instituto do Ladrão para informar a situação dos pintinhos que não eram dele. Todo mundo sabe que a Petrobras foi assaltada por um homem bom. Mas usar o dinheiro roubado para cuidar do pintinho dos outros já é bondade demais.

O supremo ministro resolveu essas angústias. Nada disso aconteceu. Foi uma ilusão de ótica decorrente da vara errada, do tribunal errado, da galáxia errada. A condenação do ladrão foi coisa do outro mundo. Neste mundo aqui, sempre esteve tudo bem. Como diria a quadrilha: o petróleo é nosso e o pixuleco também.

O resto é choro de perdedor. Otário é você que não soube fazer as amizades certas. O ministro soube — e fez história. O Brasil odeia quem dá certo.

A angústia passou. Aquela incerteza incômoda sobre se iria ou não ser instalado um elevador privativo no triplex do Guarujá acabou. Foram anos de sofrimento dos brasileiros, pensando que isso era assunto deles. Tudo foi esclarecido, para alívio geral: isso era assunto particular do ladrão com os empreiteiros que o ajudaram a assaltar a Petrobras, e ninguém tinha nada com isso. Finalmente as coisas foram colocadas nos seus devidos lugares.

O astral ficou tão bom que a imprensa amiga ficou apta a plantar notinhas dizendo que o ladrão deve processar o Brasil por danos morais. Seria mais do que justo. Passar anos sendo alvo da desconfiança de milhões de pessoas? E não tendo feito absolutamente nada além de se locupletar e enriquecer seus familiares, amigos, correligionários e cúmplices com o produto do roubo progressista e democrático? Que país é esse?

Curtindo a vida e a liberdade, Lula foi se encontrar com Macron.

— Obrigado por me receber, companheiro Macron. Vou ficar bem na foto.

— Meu filme tá meio queimado aqui na França, companheiro Lulá. Mas pro Brasil serve, né?

— Serve bem. Presidente da França é presidente da França.

— Isso aí. Vamos aproveitando enquanto ninguém nota.

— Por falar em nota: rola um cheque pro Instituto Lula?

— Porra, Lulá. Depois de todo aquele roubo tu ainda tá pedindo dinheiro?

— Muita despesa, Macron.

— Tudo bem. Mas o que eu vou ganhar em troca?

— Um Lula de pelúcia e uma foto no *Le Monde* mostrando que você tá ajudando os famintos do Brasil.

— Gostei. Estou precisando mesmo de um gesto de grandeza.

— Ótimo. Obrigado, companheiro.

— Só pra eu ir ensaiando minha entrevista pro *Le Monde*: qual foi a maior ação humanitária do Instituto Lulá?

— Ah, tem uma porrada de ação, Macron. A que ficou mais famosa foi aquela dos pintinhos.

— Que pintinhos?

— Os pintinhos do meu sítio, que não é meu.

— Ah, lembrei. Atibaiá, né?

— Isso.

— Por que você nunca me convidou pra um churrasco lá?

— Porque com esse seu jeito arrumadinho o meu pessoal podia achar que você é polícia.

— Entendi. Faz sentido. Mas voltando aos pintinhos...

— Nem me fala.

— Ué, foi você que falou.

— Eu sei. Mas é que esse assunto sempre me emociona.

— Por quê?

— Justamente pela ação humanitária do Instituto Lula. Era de lá que eu recebia as informações do caseiro do sítio sobre a situação dos pintinhos. E quando algum pintinho não estava bem, isso acabava com o meu dia.

— Imagino. E onde entra a ação humanitária?

— Você é burro mesmo, hein, Macron? Justamente eu colocava todos os recursos do Instituto pra salvar os pintinhos. É pouco pra você?

— Não. Também me emociono. Mas salvar pinto é ação humanitária?

— Aí você mostra todo o seu preconceito. Pinto é um ser humano como outro qualquer. Só porque vira galinha você acha que não merece respeito?

— Não foi isso que eu quis dizer...

— Foi, sim. O que você tem contra as galinhas? Sabia que você pode ser processado por preconceito?

— Contra as galinhas?

— Claro. Meu corpo, minhas regras. A galinha faz com o corpo dela o que quiser e ninguém tem nada com isso. Aliás, eu gostaria de lhe informar, sr. presidente, que qualquer maneira de amor vale a pena.

— Espera aí, Lulá. Eu não quis ofender ninguém. Só fiquei um pouco confuso com a classificação das espécies.

— É o que todos dizem. Mas não se preocupa, vou quebrar o seu galho.

— Obrigado. O que vai fazer?

— Dobra o valor do cheque, e eu te arranjo os melhores advogados. E os melhores juízes também.

— Eu vou ser julgado no Brasil?

— Claro. Seu crime foi cometido contra galinhas e pintinhos brasileiros, cujo hábitat moral é o meu sítio que não é meu, então o juiz natural da causa também é meu. Ou melhor, de um amigo meu.

— Nada como ter amigos, né, Lulá?

— Eu não seria ninguém sem eles.

— E basta de preconceito contra as galinhas.

— E contra os pintinhos.

— E contra os demagogos.

— E contra os ladrões.

— Igualdade, fraternidade e liberdade!

— Dois milhões de dólares.

— O quê?

— O preço do que você falou.

— Como assim? Eu falei de princípios da Revolução Francesa. Isso sempre foi de graça.

— Em conversa com o Instituto Lula, nada é de graça. Mas não se preocupe, tudo será revertido em causas humanitárias.

— Ufa. Então tá. Pela dignidade das galinhas!

— Cinquenta real.

CAPÍTULO 13

Lockdown mental

Carlos Henrique Provetta é médico. Quando apareceu uma epidemia ele tranquilizou a todos: deixem esse vírus comigo.

Como vamos enfrentá-lo? — quiseram saber os curiosos.

Provetta não piscou: no gogó.

Alguns inocentes não entenderam a resposta, mas o médico teve paciência para explicar cientificamente o seu brado: quem se garante enfrenta epidemia no gogó. Eu fiz o Juramento de Hipócrita.

Fim de papo. Todos sabiam que um juramento desses torna qualquer um invencível — o que vem a ser a principal qualidade do herói. E um herói atrai imediatamente as câmeras de TV — principalmente depois de afirmar que vai salvar o seu povo no gogó. Luz, câmera, falação.

Lá se foi o dr. Provetta matraquear pelos cotovelos, ao vivo, quase 24 horas no ar. Um show. Ninguém tirava o olho do herói — qualquer distração poderia ser fatal. Vai que você perde alguma palavra-chave e fica indefeso diante do perigo?

Ele falou de tudo. Disse que a culpa era dos ricos e a favela ia se ferrar. Mas ele, dr. Provetta, não hesitaria em ter uma conversa civilizada com os assassinos que mandam nos morros — porque traficante também é ser humano e os facínoras haveriam de ter sensibilidade social e sanitária.

Foi praticamente uma aula de sociologia, como se diz no botequim. Com todo o respeito ao botequim.

Tudo isso de graça. Só um missionário altruísta, um Robin Hood da ciência, compartilharia tanto saber sem cobrar nada de ninguém. Transbordante de empatia e comiseração, o médico revolucionário disse para todos se isolarem uns dos outros — nada de aproximações inconsequentes que pusessem vidas em risco. Foi então visto num ambiente fechado e aglomerado, sem máscara, abraçando seus áulicos e cantando sorridente: "Viver e não ter a vergonha de ser feliz...". Ou viver e ser feliz de não ter vergonha (há controvérsias sobre o refrão entoado).

Só uma meia dúzia de inocentes (sempre os mesmos) quis saber se a muvuca do Provetta não contrariava suas diretrizes de isolamento. É uma gente obtusa e azeda, que não suporta a felicidade alheia. Dessa vez, o médico revolucionário nem perdeu seu tempo explicando o óbvio: quem faz o Juramento de Hipócrita tem a obrigação de se aglomerar por trás do distanciamento social. O escândalo seria jurar hipocrisia e não a praticar.

Esses céticos niilistas jamais compreenderão o poder sagrado do juramento para um homem de fé.

Foi assim que o dr. Provetta mandou todo mundo ficar em casa em nome da vida e foi jogar sinuca no boteco em nome da ciência. Sem máscara, que ninguém é de ferro — e o povo precisa reconhecer a fisionomia do seu herói para se sentir seguro.

Então lá estava ele, de cara limpa, mostrando que o verdadeiro médico confia no seu taco quando vê alguém pela bola sete. Viver e não ter vergonha de ser feliz, cantar e ser feliz de não ter vergonha. O juramento do hipócrita nunca tinha sido cumprido com tal abnegação.

E você, que talvez nem mereça, recebeu mais uma lição de graça: o boteco não é só o lugar da sociologia. É também o lugar da ética.

O que deixou o povo um pouco confuso foi a reaparição do dr. Carlos Henrique Provetta de máscara. Ok, agora ele não estava no botequim, mas estava no circo — e aí já começou uma polêmica sobre as supostas diferenças científicas entre circos e botequins, porque todos sabem que palhaços e bêbados são iguais perante a lei e ninguém toleraria diferenças de protocolo sanitário entre essas duas instituições milenares. Mas logo tudo se esclareceu.

Provetta estava de máscara porque se encontrava diante de Renan Calheiros — e mesmo um herói invencível tem seu momento de autocontenção.

A máscara ali não era um sinal preocupante de que o médico salvador pudesse estar começando a sofrer de vergonha na cara (a ponto de escondê-la). Era só um sinal de reverência a um ídolo, porque quem fez o Juramento de Hipócrita sabe reconhecer um superior juramentado. Enfim, foi um momento bonito na história da medicina. Solta o som, DJ: viveeeer e não ter a vergonha... etc.

Longe dos gabinetes abastados e das quarentenas VIP, a travessia foi um pouco diferente.

— Opa, tudo bem?

— Tudo indo. E com você?

— Tudo indo também. Quer dizer: indo é bondade. Tudo meio parado.

— Aqui no ônibus pelo menos a gente anda, devagarzinho.

— Isso é verdade. Você sobe sempre nesse ponto?

— Sim. Moro aqui.

— E vai saltar onde?

— Aqui mesmo.

— Como assim? Você mal entrou e já vai saltar?

— Não, agora não.

— Você não disse que saltaria aqui mesmo?

— Isso. Daqui a duas horas mais ou menos.

— Ah, tá. Mas antes de voltar ao seu ponto daqui a duas horas e ir pra casa, você vai saltar onde?

— Lugar nenhum.

— Não entendi. Pra onde você tá indo agora?

— Pra casa.

— Mas você acabou de sair de casa e pegar esse ônibus!

— Eu sei. É que o lugar pra onde eu iria, não posso ir.

— Que lugar?

— Praia. Eu vendo biscoito na praia.

— Certo. E hoje você não vai vender.

— Não.

— Por causa do vírus?

— É.

— Não tem gente na praia pra comprar.

— Tem.

— Então não entendi.

— Tá proibido vender biscoito.

— Ah... Descobriram que o biscoito é contagioso?

— Não sei. Só sei que não pode vender.

— Então você saiu de casa pra voltar pra casa?

— Acho que foi mais ou menos isso.

— Desculpe perguntar: se não pode trabalhar, por que você saiu de casa e se meteu num ônibus lotado?

— Porque lá em casa tá lotado também.

— Ah, é?

— É. Todo mundo é ambulante. O meu mais velho botou uma música e já veio um guarda perguntar se era festa. Que não pode festa.

— O que vocês responderam?

— Nada. Falei pro garoto desligar a música e foi todo mundo pegar ônibus.

— Ônibus não tem problema, né?

— Não. Ônibus é tranquilo.

— Pelo menos isso.

— É. Acho que esse vírus tá mais é certo.

— Por quê?

— Eu também prefiro biscoito a ônibus.

* * *

O governador do Rio Grande do Sul foi um dos líderes dos trancamentos por suposta segurança sanitária. Saiu fechando tudo, assim como seu colega e correligionário de São Paulo — ambos se apresentando como presidenciáveis, ambos dizendo seguir a ciência contra um presidente negacionista, ou seja, ambos fazendo política.

Se essa política servisse para cacifá-los à Presidência e também para proteger as pessoas da pandemia, ótimo. Infelizmente, não serviu para nenhuma das duas coisas. Não serviu para nada. Ou melhor (pior): serviu para piorar a vida das pessoas.

No meio da pandemia, o governador do Rio Grande do Sul resolveu dar uma entrevista confessional. Para falar de tudo. Qualquer um teria o direito de esperar que ele finalmente fosse explicar por que fez os gaúchos passarem a se sentir como se vivessem na Coreia do Norte. Mas ele não falou disso. Depois de quase um ano e meio de tirania, o governador revelou que é gay.

Na condição em que estava, com a quantidade de explicações que tinha a dar, com a quantidade de contas que tinha a prestar no meio de uma crise tão grave, o governador de estilo soviético achou que era hora de falar de sexo. Se ele mesmo desejou misturar os assuntos, estando à frente de ações repressivas extremas cuja eficácia científica não demonstrou, alguém poderia se confundir e entender que o governador acreditou que sua opção sexual lhe daria poderes supraconstitucionais.

Não, nada disso. Ele só quis contar que é homossexual.

Ok. É saudável compartilhar experiências pessoais para combater o preconceito, em nome da liberdade. Mas para alguém que esteja justamente espancando a liberdade, não é saudável. Naquele momento, o governador gaúcho era o pior exemplo possível de liberdade. Um ditador que não saiu do armário — querendo posar de humano. Não cola.

Tem que sair do armário primeiro. Assumir o seu autoritarismo covarde, fantasiado de empatia. Depois disso poderia até valer conversar sobre qualquer tema. Mas autoritário não é chegado a conversar. É chegado a prender.

Ninguém viu os laudos comprovando a eficácia das suas medidas extremas, que prenderam a população e lhe roubaram direitos básicos de cidadania. Ninguém viu a comprovação das suas ações brutais que chegaram ao nível de lacrar gôndolas de supermercado com o pretexto de diminuir o contágio. Ninguém viu os estudos anteriores e posteriores a essa barbaridade atestando seu resultado no controle ou mitigação da pandemia.

Não apareceu no Rio Grande do Sul, nem na América do Sul, nem no Hemisfério Sul, nem no Hemisfério Norte, nem no mundo inteiro estudo algum comprovando que bloquear alas de supermercados decidindo o que o consumidor pode comprar teria alguma serventia para bloqueio ou redução de contágio — enquanto o transporte público, por exemplo, continuou levando as pessoas de lá para cá em ambientes fechados e frequentemente aglomerados.

Estudos e ensaios (ver John Ioannidis, Michael Levitt e outros pesquisadores laureados) mostraram que as áreas com *lockdown* mais severo não alcançaram vantagem sobre as que não restringiram tanto em termos de enfrentamento à pandemia. Não vale fazer como o seu correligionário de São Paulo, que botou o Instituto Butantã para soltar panfletos com número exato de vidas supostamente salvas por esse trancamento burro e grosseiro. O nome disso é fraude.

O governador gaúcho poderia falar à vontade sobre sua vida sexual aos que se interessarem por ela que isso não o redimiria da sua fraude. Ele não tinha ciência nenhuma. Tinha um *slogan*. E não salvou ninguém. Os prejudicados pelo seu espetáculo prepotente, destrutivo e mórbido são seus credores. E não adianta se esconder em propaganda politicamente correta.

E por falar no governador de São Paulo, ele também apareceu no noticiário em plena pandemia por questões pessoais.

Circularam imagens de João Dória tomando sol numa piscina de hotel de luxo em Copacabana.

Checamos: não era ele.

A assessoria do governador paulista disse que era ele mesmo. Mas a nossa checagem correu atrás dos fatos e revelou ao Brasil, à América do Sul e ao mundo: não era João Dória, o selvagem do *lockdown*, de papo pro ar com hóspedes de um hotel carioca.

Nosso furo de reportagem começou com uma desconfiança, e desconfiar é o primeiro mandamento de todo repórter. A desconfiança também é a mãe da ciência. Desconfiamos das fotos e dos vídeos que mostravam Dória numa espreguiçadeira do Hotel Fairmont por uma razão muito simples: o homem fotografado estava sem máscara.

Só com muita pressa e leviandade alguém poderia dizer que aquele era o governador de São Paulo — que estava de máscara havia tempo suficiente para ninguém mais se lembrar exatamente como era a cara dele.

Nos recusamos a ser apressados e levianos como a maioria foi diante dessas imagens e passamos a estudá-las detidamente. Notamos que havia, sim, sinais de similaridade entre o homem das fotos e dos vídeos e João Dória Jr., mas havia algo estranho no ar. E o ar do Rio de Janeiro, como todos sabem, é traiçoeiro: basta dizer que o prefeito local fechou as praias e abriu as academias de ginástica, numa descoberta do seu comitê científico de que a atmosfera terrestre não é confiável.

O homem que diziam ser João Dória estava ao ar livre. Portanto, todo cuidado era pouco.

Tomamos então uma decisão que pode parecer radical, mas não para quem realmente preza pela verdade: enviamos as imagens para um laboratório em Wuhan. Se Dória não fosse reconhecido na China, não seria em lugar nenhum do mundo.

Valeu a pena esperar. Enquanto praticamente o Brasil inteiro caía de pau no governador paulista julgando ser ele na piscina do hotel chique, os técnicos do laboratório mais confiável do planeta trabalhavam incansavelmente na análise meticulosa das imagens polêmicas. Tivemos a colaboração decisiva do regime local, que manteve a equipe de cientistas três dias e três noites sem comer e sem dormir, para não atrasar os trabalhos.

Fica aqui nosso agradecimento aos mandachuvas chineses por endurecer sem perder a ternura e não deixar ninguém fazer corpo mole, um dos problemas frequentes dos países que exageram na democracia.

O laudo saiu mais rápido que vacina de ocasião — e o resultado chocou o mundo: o homem só de shortinho se bronzeando no hotel carioca não era João Dória Jr.

O laboratório de Wuhan trabalhou com uma moderna técnica de RNA mensageiro, que acelera a mensagem por meio de transmissão via moto do iFood. Ou seja: o mensageiro voa. Ele botou todas as nossas perguntas na quentinha e voltou como um raio com as respostas definitivas.

A mais conclusiva delas revela uma sentença irrefutável obtida a partir de evidência muito simples: toda a literatura científica comprova que Dória prefere pegar sol em Miami, portanto jamais estaria perdendo tempo numa laje em Copacabana.

Calamos os críticos, os maledicentes e os intrigantes diante da revelação laboratorial da sua leviandade. Calamos esses patrulheiros sem coração diante da constatação científica de que, se fosse para sair de São Paulo no fim de semana, Dória iria de jatinho para a Flórida, jamais para uma cidade perigosa do estado rival.

O laudo de Wuhan sobre o caso Dória é devastador. Dentre outras constatações, prova que um governador salva-vidas jamais estaria em plena pandemia grudado numa espreguiçadeira que nem uma lagartixa fritando ao sol; jamais estaria sem máscara numa muvuquinha VIP rodeado por corpos sarados e depilados; jamais se exporia ao público daquela maneira ridícula sem o aparato da sua junta de contingência e a proteção daquelas *hashtags* matadoras, fique em casa, vacina já e Covid *forever.*

CAPÍTULO 14

Djokovic e os cangurus

Em meio a tantas dúvidas trazidas pela pandemia, de vez em quando surgia um raio de luz da ciência para orientar a coletividade aturdida. Foi assim quando Renan Calheiros declarou que a Copa América era o campeonato da morte.

Alerta importante. Como notou qualquer um que acompanhasse o noticiário nacional do período, a principal referência científica no país passou a ser Renan Calheiros. Os brasileiros estavam perdidos em meio à crise sanitária até aparecer o oráculo das Alagoas para dar-lhes o norte (e o sul, o leste e o oeste). O que ele porventura não soubesse (o que era raro), a médica-cantora que fez um dueto histórico com ele na CPI explicava em uma frase. Isso é o bom da ciência moderna: não tem muita conversa, é tudo *pá-pum!*

No que viu o farol iluminista de Renan Calheiros apontado para as trevas da Copa América, o técnico da seleção brasileira já se posicionou. Como se sabe, Tite é simpatizante de Lula, que por sua vez é unha e carne com Renan. Ou seja, tudo em casa.

Ou melhor, tudo dentro da ciência. O técnico foi logo dizendo, na véspera de um jogo do Brasil nas eliminatórias sul-americanas da Copa do Mundo, que havia um ruído e os jogadores estavam na dúvida se jogariam a Copa América.

Como se vê, existem Américas e Américas.

Os reis da empatia (alguns pronunciam empatite) logo se eriçaram e se levantaram contra o campeonato da morte a ser disputado no Brasil. O país tinha jogos internacionais de três competições futebolísticas, todas sem público e com rigoroso protocolo sanitário para atletas e delegações, conforme previsto para a Copa América, mas, se o Renan Calheiros alertou, não dava para titubear. Fora Copa América.

O Brasil também estava sediando o campeonato de ônibus lotados, vagões apinhados, estações aglomeradas e todo o torneio diário de muvuca nos transportes públicos promovidos por governadores e prefeitos de todo o país, mas disso o pessoal da empatite não chegou a falar. Como a médica-cantora também não disse nada, depreendeu-se que no torneio das aglomerações estava tudo bem.

Ufa. Não é fácil seguir a ciência ao pé da letra.

Os mais desconfiados ficavam lendo e relendo a Bula de Calheiros para si mesmos, envenenados por aquela velha mania de querer uma segunda opinião. Sem problemas. Era só perguntar ao Omar Aziz, autoridade cercada por gente que entende tudo de saúde, segundo a Polícia Federal. Quem ainda estivesse insatisfeito poderia obter uma terceira opinião: Randolfe.

Se o desconfiado continuasse perguntando de onde vinha a autoridade desse trio de ouro em matéria de medicina, não restariam dúvidas: só poderia ser um ignorante que não lê jornal nem vê televisão. Estava tudo lá, e nunca uma agência de checagem desmentiu a fulgurante junta médica.

E bota junta nisso. Eles quase juntaram a dra. Nise Iamagushi. Faltou pouco para a delicada oncologista levar um safanão do grande Omar Aziz, incomodado justamente com tanta delicadeza. Ele foi muito claro: não estava suportando a voz suave da médica de 62 anos.

Está certo, o companheiro Omar. Suavidade irrita mesmo. E ela, de forma acintosa, continuou falando suavemente. Deu sorte que o Omar e o Renan não mandaram algemar. Em defesa da vida e da ética, eles são capazes de tudo.

A complexidade da ciência é assim mesmo. Às vezes, você chega a ter a sensação de estar num campo de várzea assistindo a um clássico do crime, daqueles em que a qualquer momento o zagueiro pode mandar chumbo no atacante, mas são só as ilusões do empirismo. Não se faz omelete sem quebrar os ovos e não se faz ciência sem quebrar uns ossos. E não esqueça: perigosa era a Copa América.

Tão perigosa que teve contagem em tempo real de casos de Covid-19 em participantes da competição. Na Copa Libertadores ninguém viu essa contagem. Você viu? "Número de casos de Covid-19 entre as delegações que disputam a Libertadores chegam a..." Não, não tivemos um contador tão diligente e meticuloso. Estranho.

Na Copa América, o Brasil recebeu nove equipes. Nove delegações do continente. Na Copa Libertadores, só na fase de grupos, o Brasil recebeu 21 equipes. Vinte e uma delegações desse mesmo continente. É um mistério profundo a diferença entre os alertas de empatia dados para a Copa América e a Libertadores.

A duração da disputa foi praticamente a mesma (fase de grupos da Libertadores foi ainda mais longa que a totalidade da Copa América). A extensão territorial ocupada por ambas as competições no Brasil também foi quase idêntica. A Copa

América começou duas semanas depois do fim da fase de grupos da Libertadores — ou seja, não se pode dizer que tenha sido disputada num período de maior gravidade da pandemia no país. O período foi praticamente o mesmo.

Na Copa América, nove delegações chegaram ao país e se instalaram em suas concentrações, só saindo para jogar. Na Libertadores, 21 delegações chegavam e saíam do país alternadamente, passando por aeroportos e hotéis variados, cada vez um grupo diferente — tornando o monitoramento mais complexo.

Os indignados com a Copa América — que chegou a ser apelidada previamente de "Cova América" pelos mais criativos — não demonstraram uma fração dessa preocupação com a Libertadores. Estranho.

Será que "as cepas" que poderiam ser importadas pela Copa América, segundo os especialistas importados por veículos de comunicação, não acometeriam seres humanos envolvidos em outra competição — no mesmo continente e no mesmo momento? Seria isso uma revolução na epidemiologia?

Claro que, se o assunto é segurança sanitária, todos os participantes de uma competição esportiva são mais monitoráveis que as multidões aglomeradas nos ônibus e metrôs do país. Mas voltemos à lógica dos denunciantes. O técnico Tite puxou o coro da empatia ocasional com a "atabalhoada" Copa América no Brasil. Assim falou Tite: "Colocamos essa situação que não gostaríamos, pelo respeito, por tudo que estava envolvendo, por um lado sentimental. Ficamos à mercê."

Esse sentimento todo não apareceu em Tite — nem como esportista, nem como cidadão — com alguma forma igualmente enfática de repúdio à realização dos jogos da Libertadores no Brasil. Repetindo: poderíamos estar diante de um fenômeno epidemiológico raro que não se manifesta por regiões, nem por populações, mas por competições.

Ainda Tite, em junho de 2021: "Quando um campeonato é feito de forma atabalhoada, rápida, excessivamente como a Conmebol fez, ela está sujeita a isso." Uma acusação grave à referida instituição, como você pôde notar, pela conotação de descuido com a vida humana, dado o contexto pandêmico. E o arremate fatal: "Colocamos que somos contrários à realização da Copa América e não vai ter desculpa agora. Não tem bengala, muleta. Vai jogar."

É impressionante. Difícil distinguir qual é a maior bravura: condenar a realização de uma competição porque ela coloca vidas em risco ou declarar que vai disputar essa mesma competição para ganhar. E ainda dizer que vai disputar porque tem "orgulho do país e de representar a seleção". E as vidas supostamente ameaçadas por essa competição? Como resolver essa equação de terceiro grau entre orgulho, empatia e demagogia?

A Conmebol multou Tite em 5 mil dólares. Mas ele não aprendeu com a punição.

Seis meses depois, o técnico da seleção declarou que não convocaria o lateral Renan Lodi porque ele não estava plenamente vacinado para Covid-19. Tite disse que o jogador colocaria o restante do grupo em risco. Tite exigiu que um atleta tomasse uma vacina na qual ele mesmo não acreditava.

Se Tite só aceitava convocar jogadores vacinados, supostamente por ser a vacina a proteção contra a doença, como um jogador não vacinado colocaria em risco todos os outros vacinados? Tite e sua lógica complexa desafiam a capacidade geral de compreensão e suscitam interrogações:

Será que um ser humano que não se vacinou contra a Covid-19 — por razões variadas, como ver atletas vacinados tendo mal súbito em campo — tem o poder de suprimir a imunidade gerada nos semelhantes pelo referido imunizante?

Será que se, durante um treino do professor Tite, Renan Lodi desse um carrinho em Daniel Alves, mandaria para o espaço a imunidade adquirida pelo atleta portador do esquema vacinal completo?

Será que se Renan Lodi contasse à noite ao seu companheiro de quarto na concentração as razões que o levaram a não tomar a vacina experimental de Covid-19, a imunidade do vacinado fugiria pela janela?

Será que se Renan Lodi entrasse no refeitório sem o cartãozinho de cidadão inoculado, o SarsCov2 se sentiria encorajado a sair do seu esconderijo entre as batatas e atacar todo mundo, se esquecendo momentaneamente de que o combinado é não entrar em nenhum corpo benzido pela Mamãe Farma?

Tite não acreditava na vacina (que impôs a um atleta como condição para o exercício da sua profissão no auge da carreira — a seleção brasileira) e estava coberto de razão: a vacina não impede a infecção, nem a transmissão, nem mesmo o agravamento da doença, como viu nos hospitais quem não tapou os olhos para a realidade.

Se Tite não acreditava na vacina que impôs, por que ele a impôs?

Não faz pergunta difícil. Deixa o verniz de empatite em paz. Mas e o Lodi? Deixa o Lodi pra lá. Bastava o Tite mandá-lo passear com o Djokovic. O tenista número um do mundo estava detido na Austrália por não ter o "esquema vacinal" completo, sendo que havia quatro tenistas totalmente vacinados e infectados com Covid-19, dentro do mesmo país, sem nenhum problema com a polícia local.

Ou seja, é preciso cuidado. Para não pegar Covid-19? Não. Cuidado com gente como Novak Djokovic, que não se vacinou. Mas ele estava com Covid-19? Não. Mas esse negócio de não se vacinar é contagioso.

Quantos atletas tiveram colapso ou mal súbito em 2021? Mais de quatrocentos. Quantos morreram? Mais de duzentos. Não é preocupante? Não. A milícia da Mamãe Farma informou que sempre foi assim. Você que não tinha reparado.

Será que o Renan Lodi também não reparou que isso sempre foi assim, que jogadores de futebol sempre caíram em campo em série sem conseguir respirar, com dores no peito e eventualmente infartando?

Sim, possivelmente o Lodi também se distraiu e não notou que sempre foi assim. Ou teve um surto de amnésia. Amnésia é contagioso? Sim. Tudo é contagioso.

***

— Aonde o senhor vai?

— Não sei ainda. Estou passeando.

— O senhor precisa informar o seu destino.

— Como assim? Eu vou aonde eu quiser.

— Não é bem assim. De qualquer forma, é necessário reportar a rota que o senhor pretende fazer.

— Que história é essa? Nunca foi assim.

— Agora é.

— Por quê?

— Segurança.

— Segurança de quem?

— De todos. Segurança sanitária.

— Ok. Se é para o bem de todos...

— Qual o seu destino, então?

— Deixa eu ver... Bem, vou até aquela árvore grande lá no final.

— Vai fazer o que lá?

— Descansar.

— Positivo. Seus documentos, por favor.

— Ué, preciso apresentar documentos pra descansar debaixo de uma árvore?

— Sim. Para estar em qualquer lugar o senhor precisa mostrar seus documentos.

— Quais?

— Basta o passaporte vacinal.

— Não tenho.

— Então o senhor está preso.

— Preso por quê? Ninguém me disse que eu precisava me vacinar.

— O senhor não lê jornal? Não vê televisão?

— Não.

— Por quê?

— Porque sou um canguru.

— Ah, perfeitamente. Não tinha reparado.

— Tudo bem.

— De qualquer forma, preciso prosseguir com a abordagem: o que o senhor tem nessa bolsa?

— Nada. Já falei, sou um canguru.

— Entendo. Mas os cangurus não guardam nada na bolsa?

— Às vezes carregamos nossos filhos.

— O senhor não tem filhos?

— Não é da sua conta.

— Assim vou ter que detê-lo por desacato.

— Não quis ofendê-lo.

— Ok. Já vou encerrar a abordagem. Só mais uma pergunta: o senhor joga tênis?

— Não. Cangurus não jogam tênis.

— Entendo. Mas o senhor conhece um elemento chamado Novak?

— Novak de quê?

— Novak Djokovic.

— Ele é canguru?

— Não. É um sérvio negacionista.

— Nem sei que espécie é essa. Só conheço cangurus.

— Estranho. Não se relaciona com mais ninguém?

— Por quê? Deveria? Nasci aqui mesmo, sempre me bastaram os cangurus.

— Estranho. Bem, de qualquer forma, saiba que se o senhor estiver me escondendo algum vínculo com o elemento Djokovic depois vai ser pior.

— Pior que essa conversa?

— Sim. Teremos de recolhê-lo aos campos de Covid-19.

— A Austrália mudou mesmo.

— E ainda vai mudar mais.

— Imagino.

— Nossa meta é limpar tudo. E se prepare porque chegará o momento de vacinar os cangurus.

— ...

— Por que o senhor está pulando?

— Porque sou um canguru.

— Mas ainda não liberei a sua ida para debaixo da árvore.

— Não estou mais indo pra lá.

— Para onde o senhor está indo, então?

— Para a Sérvia.

NEW YORK JOURNAL
A TERRA ESTÁ CONDENADA

CAPÍTULO 15

Deu (a louca) no *New York Times*

O *New York Times* disse que detectou uma movimentação de aliados de Donald Trump para forçar a eleição brasileira de 2022 para o lado de Jair Bolsonaro. O *New York Times* é ridículo.

E sabe que é ridículo, mas mantém a pegada. Um jornal falido que vende verniz virtuoso para a burguesia se fantasiar de humanismo. Alguém paga essa pantomima, é claro, porque um grande jornal não vira um panfleto pueril e continua sendo um bom negócio.

O negócio é fingir que está combatendo o mal com roteiros pré-escolares. Isso valerá a pena [sic] até o dia em que a maioria do público entender e expressar a singeleza enunciada no parágrafo acima: o *NYT* não é "progressista", "militante", "rebelde" etc. — só é ridículo.

A dicotomia caricatural direita x esquerda é um elementar engano. Se "esquerda", por exemplo, serve para classificar de

João Pedro Stédile a Marc Zuckerberg (e pateticamente serve), o significado, a utilidade, a serventia desse conceito é zero. Aliás, a cada vez que alguém chama Zuckerberg de "esquerdista", ele ganha 1 milhão de dólares — nadando de braçada no bom e velho capitalismo.

O magnata do Facebook vende a mesma tralha "progressista" do *NYT*. Tem quem compre — e como tem.

Se o mundo tivesse dois lados ele seria chato. Tão chato quanto uma Terra plana. É isso: a caricatura direita x esquerda é uma espécie de terraplanismo com banho de loja. Vamos fazer essa simplificação tosca para que cada um possa estufar o peito e dizer que está do lado do bem contra o mal, e vice-versa. Todos em busca do inimigo perfeito para chamar de seu. Que nem nas historinhas de super-herói.

Esse foi o caminho seguido pelo *New York Times*, em sua demagogia ridícula. Vamos fingir que o Trump é a perfeita encarnação do mal e ficar jogando flechinhas de plástico nele para hipnotizar uns trouxas. E como tem trouxa. A graça de ser contra a "direita" é se fazer de bonzinho, altruísta e amigo do povo. Bem, olhando os indicadores sociais, o governo Trump deu mais emprego e renda aos menos favorecidos que seu antecessor, o imaculado Barack Obama. E agora? Estaríamos diante de uma maldade trans?

A constatação desse engodo narrativo não equivale a dizer que os Republicanos são melhores que os Democratas — que tiveram bons momentos, por exemplo, com John Kennedy e Bill Clinton, este último inclusive fiador de uma reforma monetária liberal no Brasil (a qual o álbum de figurinhas dizia na época que era "de direita"). Já vários Republicanos se juntaram à oposição desleal contra Trump, cujo governo desmentiu todas as projeções de xenofobia e autoritarismo. Que direita é essa? Qual é o lado?

Vamos deixar para lá esse papo de sociólogo e chamar as coisas pelos seus nomes. Cinismo, por exemplo. Essa palavrinha não precisa de tradutor pós-graduado em conversa fiada. Passar quatro anos fingindo que Trump ganhou as eleições em conluio com a Rússia — e na completa ausência de comprovação dessa tese, continuar insistindo mecanicamente nela é cinismo.

Foi o que fez o *NYT* e boa parte da imprensa tradicional no mundo. Isso não a torna uma imprensa de esquerda contra a direita. Isso a categoriza, ao menos momentaneamente, como uma imprensa desprovida de boa-fé. Só isso.

Por que é tão importante desmascarar essa guerrinha esquerda x direita? Porque ela é o maior trunfo dos hipócritas. Um clube de ricos fantasiados de sensíveis e conscientes chama de *fake news* tudo que não ecoa suas cartilhas falsamente virtuosas. Eles não combatem a "direita". Eles atentam contra a liberdade, em pele de cordeiro. Que tivessem ao menos a dignidade de afrontar a democracia com a carranca do lobo mau.

Essa era a tese ridícula do *NYT*. Depois de uma eleição repleta de indícios de fraudes, em ocorrências cujo mérito a Justiça na maioria das vezes decidiu nem sequer examinar, saiu vencedor o candidato Democrata — o defendido pelo *NYT*, que depois resolveu dizer que Trump exportou à "direita" brasileira seus truques de manipulação eleitoral. Parece a história do assaltante que arranca a bolsa da vítima e sai gritando pega ladrão.

Os fanáticos pelo álbum de figurinhas do Muro de Berlim ficam muito chateados quando alguém sugere que eles fechem o álbum e levantem os olhos para a realidade. Estão apegados à sua coleção de clichês. Não vamos contrariá-los. Vamos colaborar com o passatempo deles, oferecendo-lhes algumas questões de alta complexidade que poderão ocupá-los quando não estiverem trocando suas duplicatas:

Zico foi ou não foi o responsável pelo corte de Romário na Copa de 1998?

Paul McCartney foi ou não foi coautor do clássico *In my life* atribuído a John Lennon?

As frases atribuídas a Neném Prancha eram ou não eram de autoria do próprio João Saldanha?

Capitu traiu ou não traiu Bentinho?

A amizade é ou não é superior ao amor?

Com quantos paus se faz uma canoa?

Barbosa foi ou não foi o vilão do Maracanazo?

Arquimedes saiu ou não saiu correndo nu depois de gritar "eureka"?

O som do vinil é ou não é melhor que o do CD?

O que, afinal, de fato aconteceu entre Marilyn Monroe e John Kennedy?

O que, afinal, de fato aconteceu entre Frank Sinatra e a máfia?

O verso de Raul Seixas "Faça como fez Sinatra: compre um carro e vá embora" é ou não é referência ao crime organizado?

Paulo Coelho faz chover ou faz nevar?

Lucy in the Sky with Diamonds é ou não é referência ao LSD?

O gol de mão do Maradona seria anulado pelo VAR?

Quem matou Odete Roitman?

Se Elvis não morreu, por onde ele anda?

Que fim levou o monstro do Lago Ness?

O relógio de pulso está com as horas contadas?

Usar relógio no pulso direito é subversão?

Que horas são aí?

O tempo é uma medida ou uma convenção?

Se a luz chega antes do som, seria o caso de você abrir os olhos antes de abrir a boca?

Falando em boca: Mick Jagger é pé-frio mesmo ou foi só uma série de coincidências?

Existe pé-frio ou os eventos são independentes das suas testemunhas e uma meia de lã resolve tudo?

Se Mick Jagger estivesse torcendo para o Uruguai no Maracanazo, a história seria outra?

O rádio acabou com a literatura, o cinema acabou com o rádio, a TV acabou com o cinema, a internet acabou com a TV e ressuscitou o rádio, ou tudo não passou de um sonho?

Quem foi maior: Emilinha ou Marlene? Esparta ou Atenas? Pelé ou Garrincha? Beatles ou Stones? Mozart ou Beethoven? Mickey Mouse ou Pato Donald? Jô Soares ou Chico Anysio? Sócrates ou Platão?

Cabral pegou um vento atravessado ou já saiu de Portugal com o pacote fechado?

Beleza põe mesa?

A vantagem de responder a essas questões filosóficas urgentes é que provavelmente nenhuma das respostas interessará à espada ceifadora das milícias de checagem, e você poderá compartilhá-las com seus coleguinhas sem que ninguém corte a sua cabeça.

Depois você volta para o seu álbum de figurinhas direita x esquerda. E se dedica a outras questões filosóficas urgentes para a humanidade, como decidir se as carinhas de FHC e Lula devem ser coladas juntas ou separadas.

Fernando Henrique resolveu apoiar Lula depois de todos os escândalos protagonizados pelo petista. E parecia bem à vontade até. A coisa ficou embaraçosa foi para o país mesmo — pelo menos a parte dele que ainda preferia ser chamada de país e não de bando. Como creditar à mesma pessoa a regência do Plano Real e a lavagem de reputação de um ladrão sem se confundir entre mocinhos e bandidos na aula de História?

Melhor esquecer aula de História — que se tornou, infelizmente, um lugar perigoso. No século 21, em qualquer ponto do território nacional, uma aula de História pode ser um comício de um simpático professorzinho do PSOL. O problema é que as distorções não vêm só dessa panfletagem dominante. A tentação ao proselitismo fantasiado de conhecimento se espalhou por toda parte. A prova disso é a tese de que FHC e Lula são irmãos siameses num projeto de dominação "da esquerda". O nome disso é ignorância.

Para levar essa tese adiante numa aula de História — talvez com um professorzinho "de direita" —, seria preciso no mínimo jogar fora dez anos dela, a História. Isso nunca foi problema para os totalitários de Stalin e jamais será problema para panfletários de qualquer estirpe. O que importa é montar um clubinho de adeptos da sua apologia, seja ela qual for.

Repetindo para quem não estava prestando atenção: apologia, não ideologia. Não há vestígios ideológicos no arsenal intelectual [sic] dos apologistas. Eles nem chegam lá.

A década que estamos te convidando a apagar da História do Brasil para ver se cola essa teoria tosca da armação Lula & FHC como um "mecanismo" de dominação "da esquerda" (haja clichê) vai de 1993 a 2003. O que aconteceu nesse período?

Aconteceu a maior reforma institucional do Brasil contemporâneo. Foi uma reforma liberal — introduzindo a responsabilidade fiscal, privatizações e saneamento monetário, tudo aquilo que está na cartilha da suposta esquerda como "neoliberal", "de direita" etc. Agora tirem as crianças da sala: essa reforma foi regida por Fernando Henrique Cardoso e tinha como inimigo mortal o PT de Lula, que tentou de todas as formas sabotar o Plano Real.

E agora? Onde estava o pacto, o mecanismo, o teatro, a ópera ou sei lá o que de Lula e FHC que "desde sempre foram caras-metades de um plano de hegemonia esquerdista" etc., etc., etc.?

Ah, mas o Plano Real foi do Itamar... Não foi, não. FHC era o quarto ministro da Fazenda de Itamar Franco. Vamos repetir para os que estavam trocando figurinhas de direita/esquerda com o coleguinha ao lado no fundo da sala: FHC era o quarto ministro da Fazenda de Itamar Franco, que já tinha tentado no posto até Gustavo Krause (gente boa, poeta, ecologista, mas que não faria um Plano Real nem por receptação mediúnica).

Ou seja: Itamar Franco estava perdido, perdidinho, perdidinho da silva, perdidão, perdidaço sobre o que fazer com a hiperinflação. Mas teve uma boa intuição política e depois teve coragem para blindar a equipe.

Cinco anos depois de lançado o Plano Real, Itamar passou a tentar sabotá-lo, se juntando a Lula, Dirceu e companhia contra a "direita" de FHC. Quase conseguiram afundar o plano em 1999, quando a maxidesvalorização do Real em meio à crise da Rússia representou risco concreto de volta da famigerada correção monetária. Mas os "neoliberais" de FHC, Pedro Malan à frente, conseguiram manobrar na guerra sangrenta contra o país e salvar essa moeda que atravessou décadas na sua mão protegendo o valor do que você ganha com o seu trabalho.

Mas isso tudo foi só um teatro "da esquerda" para preparar o poder para o Lula? Fecha esse álbum de figurinhas e vai estudar, guerreiro.

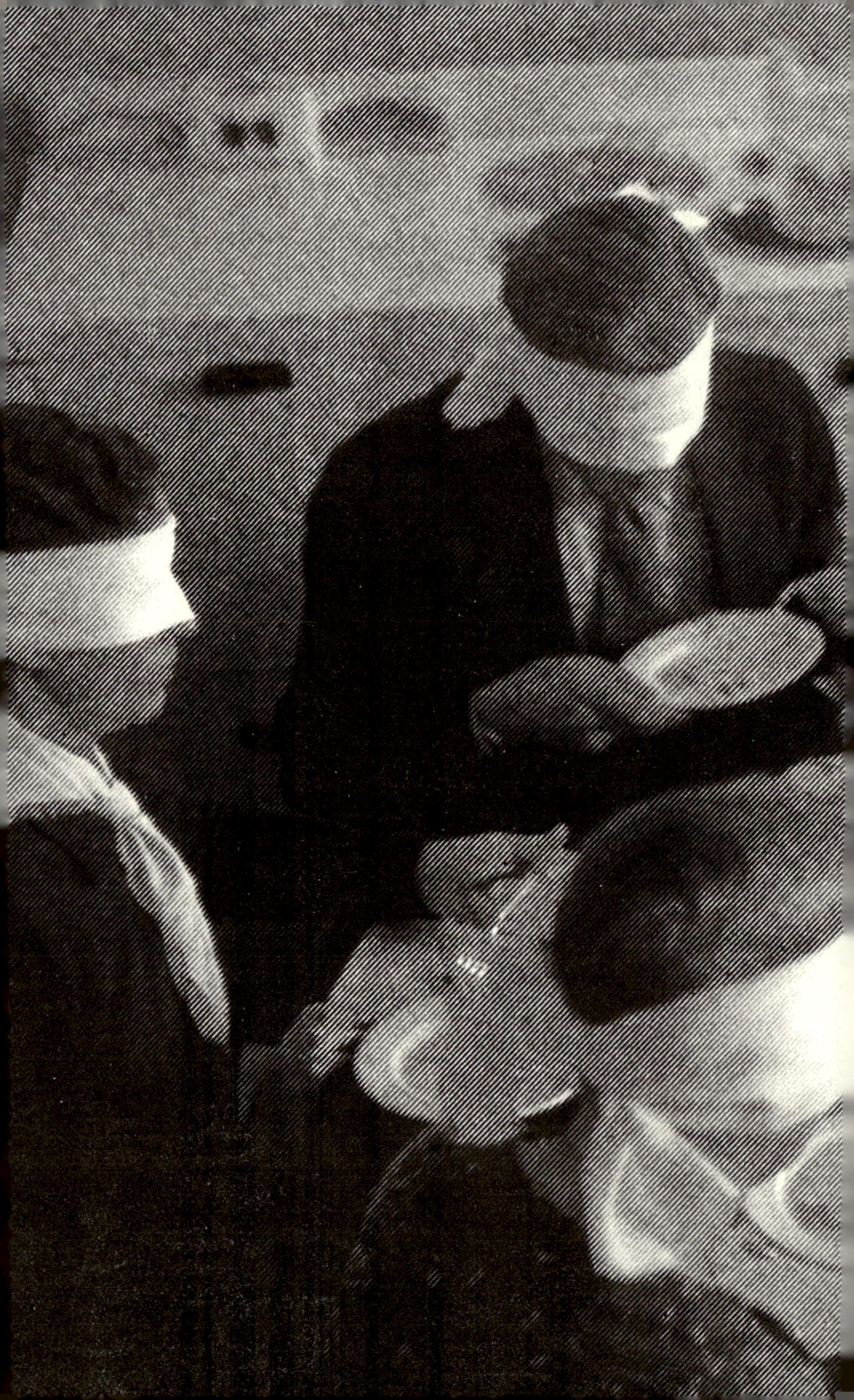

CAPÍTULO 16

Bruno e Thais

A butique 2030 vende belíssimos terrenos na lua da felicidade futura. E o mais impressionante é que tem quem compre. Foi assim que uma pandemia foi transformada em oportunidade. E nessa hora, toda a coleção de decalques supostamente ideológicos não serviu para absolutamente nada.

O plano de controle era esquerdista/globalista? Sentimos informar que o governo "direitista" de Israel, por exemplo, esteve na vanguarda do sufocamento dos cidadãos, com o tal *lockdown* anticientífico e a indução grosseira à vacinação experimental.

O que triunfou durante a pandemia foi a usina de novos tabus disfarçados de salvacionismo. Nem Donald Trump, que atuava contra as mistificações "progressistas", foi capaz de frear a propaganda fantasiada de ciência do inacreditável dr. Anthony Fauci, que permaneceu como comandante da área de saúde no governo dos Estados Unidos sob as barbas de Trump no momento mais importante de todos. Da mesma forma, o "conservador" Boris Johnson deixou o Reino Unido de joelhos para as diretrizes totalitárias de sotaque chinês.

O problema foi que o êxito desses novos tabus custou caro — inclusive em vidas, aquelas que os *slogans* empáticos juravam defender.

A discussão pública sobre a segurança de vacinas contra Covid-19, por exemplo, foi criminosamente impedida. Referências aos riscos dessas substâncias sem estudos completos apresentados às autoridades sanitárias foram sufocadas. De médicos a jornalistas, a intolerância à abordagem dos efeitos adversos (os possíveis e os consumados) foi gritante. Literalmente: muitos responderam aos gritos. E a gritaria continha sempre a mesma mensagem básica: a vacina é inocente.

Foi com uma gritaria dessas que a mãe de Bruno Graf foi recebida nas redes sociais quando decidiu investigar a influência da vacina contra a Covid-19 na morte do filho. Claro que ela tinha de fazer isso: Bruno era plenamente saudável aos 28 anos e, a partir do momento em que se vacinou, tudo mudou: teve dores de cabeça fortes e calafrios na semana seguinte à vacina; no décimo dia teve dores no braço, visão turva, fala confusa e perda de movimentos em um lado do corpo. Morreu de AVC hemorrágico 12 dias após receber a vacina.

Apesar dos histéricos que foram capazes de hostilizar uma mãe em luto, Arlene Ferrari Graf conseguiu provar que a vacina foi a causa da morte do filho. Por conta própria encomendou na Espanha um teste de anti-heparina PF4 para detectar a síndrome de trombocitopenia trombótica associada à aplicação da vacina. A Superintendência de Vigilância em Saúde do Estado de Santa Catarina reconheceu a causalidade a partir de petição feita por Arlene.

Mesmo assim, essa mãe continuou sendo difamada — suas páginas foram banidas de várias plataformas de rede social e ela precisou recorrer à Justiça para impedir que o *Correio Braziliense* a acusasse de propaganda enganosa. Como se vê, o que seria uma busca legítima pelo esclarecimento médico da morte repentina de um jovem virou ato heroico.

Nesse ambiente adoecido, onde se fingiu a todo custo que a decisão de se vacinar contra Covid-19 não envolvia riscos importantes e não dimensionados, o perigo eventualmente letal foi exposto em poucos casos — os que, por circunstâncias especiais, furaram o bloqueio propagandístico do *lobby*.

Além de Bruno Graf, isso também ocorreu com a promotora de justiça Thais Possati de Souza, 35 anos e grávida de cinco meses. Moradora do Rio de Janeiro, ela tomou a vacina da AstraZeneca no dia 23 de abril de 2021. Começou a se sentir mal, foi internada, teve um AVC hemorrágico e morreu no dia 10 de maio — 17 dias depois de vacinada.

Na noite de 10 de maio, após a morte de Thais, a Agência Nacional de Vigilância Sanitária emitiu uma nota técnica vetando a aplicação da vacina da AstraZeneca em grávidas. Para Thais, seu bebê e sua família, essa nota não mudou nada.

E mesmo tendo motivado o reconhecimento oficial do risco letal da vacina de Covid-19, o caso de Thais sumiu como por mágica. O que deveria ter se tornado referência para as discussões sobre vacinas em desenvolvimento se tornou página virada. E continuou soando o mantra misterioso: "As vacinas são seguras."

Na manhã do dia 11 de maio, quando Thais já tinha morte cerebral confirmada, veio a público a informação de que uma gestante tinha sofrido trombose após se vacinar — com essa vacina que já havia sido interrompida em algumas localidades da Europa por suspeita de provocar coágulos. Ainda assim, "especialistas" declararam que grávidas não deviam deixar de se vacinar, alegando que os riscos da contaminação superariam os riscos das vacinas. Ao final do mesmo dia, a Anvisa emitiu a nota técnica vetando a vacina da AstraZeneca para gestantes.

Quantas grávidas terão tomado uma decisão imprudente — e finalmente condenada pela Anvisa — com base na orientação pública desses "especialistas"?

Um grupo de voluntários foi criado em torno de Arlene Graf para catalogar relatos de efeitos adversos pós-vacina de Covid-19, na falta de ação efetiva das autoridades de saúde nesse campo. A partir do momento em que divulgou o caso de Bruno, Arlene passou a receber múltiplos depoimentos espontâneos — e esse grupo voluntário registrou sozinho, em poucos meses, dezenas de testemunhos de mortes de pessoas saudáveis após a aplicação da vacina experimental, todos à espera de investigação para saber se a vacina havia sido a causa da morte.

Mesmo banida das redes sociais, ela conseguiu por meio de canais de terceiros levar ao conhecimento do público essas histórias trágicas, que aguardavam resposta do sistema da Anvisa, no qual foram devidamente registradas.

Letícia Balzan Martinez tinha 23 anos e era estudante do quarto ano de Medicina, totalmente saudável. Teve fortes dores de cabeça a partir do oitavo dia após tomar a vacina. Morreu de trombose e hemorragia intracraniana 15 dias depois de vacinada.

Felipe Henrique Cardoso tinha 15 anos e era plenamente saudável. Teve dores de cabeça, falta de ar e desmaio cinco dias após tomar a vacina, enquanto andava de bicicleta. Morreu de infarto.

Leandra Ludmila Leme tinha 20 anos e passou a ter febre, dores de cabeça e no fundo dos olhos no terceiro dia após tomar a vacina. Em uma semana tinha inchaços, extremidades geladas e perda do movimento das pernas. Teve uma parada respiratória e morreu nove dias depois de se vacinar.

Letícia, Felipe e Leandra foram alguns dos muitos nomes divulgados pelo grupo voluntário ligado a Arlene Graf, dando rosto a um questionamento dramático que a sociedade foi levada a amortecer como estatística irrelevante.

Essa anestesia geral foi a base para a imposição ilegal de comprovantes de vacina contra Covid-19 em todo o mundo — o que só poderia acontecer dentro da lei com a prova completa de eficácia e segurança dessas vacinas, além da demonstração científica de que a vacinação universal seria a única forma efetiva de agir contra a doença, o que não aconteceu. Em vez da proteção aos grupos mais vulneráveis, passaporte vacinal para todos. A maior mentira do século.

No final de 2021, a mentira começou a ser encarada com mais tranquilidade. Tinha sido um período aflitivo aquele em que ainda era preciso fingir que o passaporte vacinal era uma medida de saúde.

Não que a mentira seja algo tão trabalhoso assim para os heróis da nova empatia. O problema é ter que regá-la todos os dias, embelezá-la, levá-la para passear, defendê-la dos constantes ataques dos hereges, vitaminá-la contra os germes da vida impura, enfim, não é muito fácil fazer uma mentira crescer forte, bonita e saudável.

Isso felizmente começou a acabar quando a pandemia se aproximava dos dois anos. Aí todos foram saindo dos armários salvacionistas — devia estar apertado demais lá dentro — e rasgando a fantasia. De repente não era mais necessário dizer que a coleira sanitária era para proteger a humanidade da moléstia. Ufa.

Um dos momentos emblemáticos dessa libertação foi protagonizado pelo prefeito do Rio de Janeiro, Eduardo Paes — sem dúvida um dos personagens mais abnegados desse sacrificante período em que ainda era necessário cultivar a mentira dia a dia, inventando decisões mirabolantes de comitês científicos imaginários, enfim, uma estiva. Mostrando toda a sua lealdade, Eduardo jamais deixou a mentira à míngua, para colher os frutos da sua bravura brincando de passaporte vacinal como lhe desse na telha, sem dever satisfações a ninguém.

Quando surgiu a Ômicron, por exemplo, o prefeito do Rio botou imediatamente o seu bloco na rua e entrou na dança, sempre com seu estilo prudente e criterioso. Anunciou que, por causa da nova variante, o passaporte vacinal teria que passar a ser apresentado também em shoppings, táxis, Uber, restaurantes e salões de beleza, entre outros novos territórios da sua vontade.

Como vontade é coisa que dá e passa, algumas horas depois Eduardo apanhou seu próprio decreto, levou-o ao salão de beleza e deu-lhe uma maquiada, retirando o shopping e o Uber da nova exigência. O decreto era dele e o que ele fazia ou deixava de fazer, consequentemente, também era problema dele. Foi um momento importante de afirmação da "liberdade de excreção".

Veja que interessante: quando essa decisão foi tomada, já estava constatado que todos os primeiros infectados pela variante Ômicron no país estavam plenamente vacinados. Ou seja: foi a afirmação definitiva e libertadora de que o passaporte vacinal não tinha nada a ver com saúde. Era um cartãozinho que não barrava o vírus — mas barrava gente, o que é muito mais importante e eficaz para proteger a tara dos tiranetes.

Quando avistou a aproximação do carnaval de 2022, Eduardo Paes já imaginou a sua apoteose vacinal. Um sambódromo exclusivo para os cidadãos "legalizados" pela Mamãe Farma. E chegou a anunciar isso, porque um carioca esperto faz assim mesmo: fala e depois pensa (se der). Aquele projeto de carnaval higiênico, com aglomerações protegidas pela ciência da propaganda (a Pfolia da Pfizer), excitou as fantasias mais arrojadas.

Foi um fetiche comparável com aquele do século passado, quando Luma de Oliveira apareceu na Marquês de Sapucaí usando uma gargantilha com a inscrição "Eike". Na ocasião, os libertários foram à loucura. O que era aquilo? Uma mulher de coleira para avisar que tinha dono? As interpretações escandalizadas iam daí para mais, apesar de a modelo dizer que era apenas uma homenagem ao marido, sem entrar muito na polêmica.

O século virou e o mundo deu voltas. Eike Batista faliu e chegou a ser preso. A patrulha politicamente correta se multiplicou mais do que a fortuna imaginária de Eike. E os libertários de plantão acabaram aderindo ao fetiche da coleira vacinal — mais orgulhosos que Luma no Sambódromo.

Se a Luma era do Eike, por que o folião moderno não poderia ser da Pfizer? Cada um com a sua coleira (sem preconceito). Aquela ideia de que no carnaval ninguém é de ninguém ficou no passado. Melhor todo mundo ter dono. O prefeito do Rio de Janeiro chegou a emitir o aviso científico: "Vacinado, é só chegar."

Mas que ninguém ficasse achando que dali em diante seria libertinagem total. Nada disso. O coração é da mamãe, a cabeça é do papai e o bracinho é do *lobby*. A chave da cidade não abria mais nada. O Rei Momo ia inaugurar o carnaval com uma seringa.

No novo desbunde higienista calculado por Eduardo Paes, o grande fetiche estava em imaginar quem ficou de fora. A imaginação é a irmã silenciosa da excitação: pensar nos segregados;

pensar nos que você poderia chamar de imundos e arcaicos porque não usavam uma coleirinha vacinal como a sua. Ai, que delícia de folia.

Olha que carnaval excitante: todo mundo se aglomerando sem nem pensar em vírus, tipo ministro da Saúde brasileiro em Nova York. Estava infectado, mas e daí? O importante era estar vacinado e apresentar o passaporte de rebanho VIP. Aí o cidadão purificado pode tudo. Dane-se a saúde, o importante é a vacina. Isso dá samba?

O próprio prefeito Eduardo Paes, num jorro de sinceridade, avisou que passaria a "dificultar a vida" dos não vacinados, inclusive impedindo acesso à saúde. Nunca se viu uma autoridade assumindo com tanta desinibição a coação explícita ao cidadão. Segura o refrão: vai ter que rebolar para viver. Entendeu o enredo?

Essa bravata totalitária e desumana não despertou uma onda de indignação, nem mesmo um mal-estar. Muito estranho. Dois desembargadores chegaram a decidir contra essa ilegalidade explícita que não salvava vida de ninguém e criava cidadãos de segunda classe, mas no STF (que não falha) o companheiro Fux matou no peito as decisões da Justiça do Rio de Janeiro e mandou Eduardo Paes continuar tranquilo a sua caçada ao direito da pessoa humana.

Quando o Carnaval se aproximou, o prefeito esperto preferiu adiar a programação oficial no Sambódromo e deixar rolar o carnaval na rua. Foi o ato mais explícito de desmoralização do "passaporte" imposto por ele mesmo. E o povo obedeceu. Se jogou nas aglomerações consentidas, curtiu a falta do controle sanitário e voltou para o cativeiro da Mamãe Farma.

Eis o resumo da ditadura pandêmica: o carioca indomável virou um cachorrinho de madame, domesticado pela falsa ciência do *lobby*. Uma ofegante epidemia de subserviência.

***

Os estudiosos do futuro vão pesquisar obsessivamente a questão que inquietará a todos: diante desse contrabando da ciência para imposição de políticas drásticas e falsas, onde estava a classe médica?

Espera-se que esses estudiosos encontrem as valiosas exceções, que apesar de perseguidas não deixaram de buscar formas de tratamento contra a nova doença, redigiram documentos expondo a brutalidade inútil do *lockdown* (ver Declaração de Great Barrington) e alertaram para os perigos de sair vacinando a população do mundo inteiro em plena pandemia com vacinas de indução genética ainda em desenvolvimento — como jamais fora feito na história da humanidade.

E o que aconteceu fora das exceções?

— Bom dia, doutor.

— Bom dia.

— Como vai?

— Vou bem, obrigado.

— Que bom. Doutor, eu tenho sentido...

— Calor, né? Também tenho. Ainda bem que estamos no ar-condicionado. Tá quente demais lá fora, né?

— Muito, doutor.

— Saudade de esquiar.

— Ah... Imagino.

— Aqui nessa foto sou eu, minha mulher e meus filhos na Suíça.

— Certo.

— Fomos comemorar a conclusão do meu pós-doutorado nessa estação de esqui. Por isso a foto está ao lado do diploma.

— Ah, nem tinha reparado...

— Pois é, não fiz uma reprodução muito grande, pra não chamar atenção.

— Entendo. Então, doutor... A minha questão é que...

— Eu sei, eu sei. Você acha que eu deveria ter feito um pôster, né? Pois é, eu também acho que a gente não deve se envergonhar dos nossos feitos. Mas é que sou discreto, sabe? *Low profile.*

— Claro. Dá pra ver.

— E vou te confessar: eu não sou o melhor esquiador da família, não.

— Jura?

— Juro! Meu garoto mais velho é pentacampeão. Mas o caçula é muito bom também.

— Que bom. Deve ser a genética. Por falar em gene, doutor, marquei esta consulta porque estou preocupado com...

— Aí você falou tudo: genética. Porque a minha mulher também esquia muito bem. Reparou no esqui dela na foto? Tínhamos acabado de comprar, presente de aniversário de casamento. Aliás, recebi o meu diploma de pós-doutorado no dia do nosso aniversário de casamento! Foi um dos dias mais felizes da minha vida. Não digo que foi o mais feliz, porque teve outros.

— Que bom, doutor.

— Você também esquia?

— Não, eu...

— Não sabe o que está perdendo. Se quiser posso te indicar um professor.

— Eu...

— O melhor. É meu amigo. Muito ocupado, mas se você disser que fui eu que indiquei ele arranja uma hora pra você.

— Obrigado. Eu vou...

— Eu também vou. Tenho que estar em meia hora sentado na mesa de um Congresso. Sou o principal nome do painel. Não posso atrasar, senão meu patrocinador fica louco (risos). E antes ainda tenho uma entrevista pra TV.

— Congresso?

— É, vou fazer uma palestra sobre imunidade a partir da minha experiência clínica.

— Entendi. Imagino que a sua experiência clínica seja muito boa.

— Nem te conto.

CAPÍTULO 17

Notícias de 2030

Chegamos enfim ao momento mais aguardado: a divulgação dos vencedores do Prêmio Seringa Press — o Oscar do *lobby* vacinal. Segue a lista dos agraciados:

Melhor Infectologista: Bill Gates.
Melhor Epidemiologista: Bill Gates.
Melhor Virologista: Bill Gates.
Melhor Sanitarista: Bill Gates.
Melhor Oráculo da Ciência: Bill Gates.
Melhor Profeta de Pandemia: Bill Gates.
Melhor Clínico: Bill Gates.
Melhor Cínico: Bill Gates.
Melhor Pediatra: Bill Gates.
Melhor Enfermeiro: Bill Gates.
O Cara Que Sabe O Que É Bom Pra Tosse: Bill Gates.
Melhor Médico de Família: Bill Gates.
Melhor Amigo da Família: Bill Gates.
Melhor Amigo da Mamãe Farma: Bill Gates.
Melhor Amigo da OMS: Bill Gates.

Melhor Amigo das Agências Reguladoras de Saúde: Bill Gates.

Melhor Amigo da Ditadura Chinesa: Bill Gates.

Melhor Amigo dos Amigos do Laboratório de Wuhan: Bill Gates.

Melhor Amigo do Aloprado dr. Fauci: Bill Gates.

Melhor Amigo do Jornalista Carente: Bill Gates.

Melhor Socorrista da Imprensa Falida: Bill Gates.

Melhor Benemérito das Milícias Checadoras: Bill Gates.

Melhor Benfeitor das Consciências de Aluguel: Bill Gates.

Melhor Conselheiro das Horas Difíceis: Bill Gates.

Cara Mais Legal Que Tem Por Aí: Bill Gates.

Maior Guardião da Verdade Universal: Bill Gates.

Muso Onisciente das Plataformas Digitais: Bill Gates.

Maior Exterminador Do Que É Errado: Bill Gates.

Maior Viralizador Do Que É Certo: Bill Gates.

Maior Viralizador: Bill Gates.

Maior Velocista da História das Vacinas: Bill Gates.

O Cara Que Acabou Com Aquela Burocracia Chata De Ter Que Esperar Anos De Estudos Pra Saber Se Uma Vacina Era Boa: Bill Gates.

O Cara Que Ensinou À Ciência O Que É Propaganda na Veia: Bill Gates.

O Cara Que Amoleceu Uma Multidão de Corações Com Seus Belos Olhos: Bill Gates.

O Cara Mais Mão Aberta Que Eu Já Conheci: Bill Gates.

O Cara Que Mais Se Preocupa Com A Sua Saúde: Bill Gates.

Melhor Higienizador Do Ambiente: Bill Gates.

Melhor Purificador da Humanidade: Bill Gates.

Melhor Cara Pra Te Dizer Quantas Picadas Têm Que Constar No Seu Passaporte Sanitário: Bill Gates.

Melhor Fiador do Esquema Vacinal Completo: Bill Gates.

Melhor Pessoa Pra Segurar A Coleira Que Vai Te Guiar Pelo Mundo da Imunidade Imaculada: Bill Gates.

Melhor Pessoa Pra Arrancar A Máscara Dos Nazistoides Alucinados Fantasiados De Salvadores da Espécie: Você.

LEIA

TAMBÉM

GUILHERME FIUZA

FAKE BRAZIL

A EPIDEMIA DE FALSAS VERDADES

Você achava que os hipócritas modernos não tinham mais o que inventar. Mas eles se superaram e vieram com um brinquedo novo: os "checadores de fatos" — seres iluminados que decidem o que é verdade e o que é mentira nas redes sociais.

Em quais leis esses novos juízes se baseiam para julgar todo mundo? Resposta: nas leis da militância e do patrulhamento politicamente correto. Os hipócritas inventaram o juiz partidário — e assim chegaram à perfeição.

Guilherme Fiuza mostra o que é *fake news* — e aqui vai o *spoiler*: hoje *fake news* é tudo aquilo que os *Senhores da Verdade* não querem que você fale.

Esperamos que, atravessando essas páginas, você entenda quem é quem nesse estranho baile de máscaras.

DIVIRTA-SE ENQUANTO É TEMPO

ESTA OBRA FOI IMPRESSA
EM AGOSTO DE 2022